# 家日和

奥田英朗



集英社文庫

家日和——目次

サニーデイ　7
ここが青山《せいざん》　47
家《うち》においでよ　91
グレープフルーツ・モンスター　135
夫とカーテン　167
妻と玄米御飯　209
鑑賞　益田ミリ　251

# 家《いえ》日《び》和《より》

# サニーデイ

# 1

ピクニック用の折りたたみテーブルが不用になったので、インターネットのオークションで売ることにした。

四十二歳になる山本紀子《のりこ》には二人の子供がいるが、下の子が中学に上がってからというもの、家族で出かける機会がめっきり減った。この夏はとうとうどこにも行かなかった。中三の由佳《ゆか》は受験勉強で忙しく、中一の祐平《ゆうへい》はバスケットボールの部活に夢中だ。家族水入らずの旅行なんてものは、きっとこの先ないのだろう。すでに子供たちは自分の世界を持っている。家族の全盛期が終わったのだ。

最初はタウンページで古物商を探し、電話で問い合わせたが、あまりの安さに腹が立って取りやめた。「新品同様でも五百円、汚れていたらタダ」と無愛想に言われ、侮辱された気がした。切り際には、「邪魔なんでしょ？　手間賃なしで引き取ってもらえると思わなきゃ」と見透かしたようなことまで言われた。冗談ではない。外国製で一万円以上したものだ。ディスカウントショップで売っている安物とはわけがちがう。

続いて地域のリサイクルセンターをのぞいたが、係員が恩着せがましいのでここもすぐに退散した。自分たちがボランティアであることを強調し、環境保護の説教までするのだ。

いっそのこと誰かにあげることも考えた。町内の、まだ子供が小さい家庭にあげたらきっとよろこばれるはずだ。けれど適当な知り合いがいなかった。よほど親しくないと、近所でプレゼントするのはむずかしい。それに、タダであげるのは少し癪《しゃく》に障った。紀子は、二千円でも三千円でもいいから代価が欲しかった。不労所得と思えば、好きなように使える。ホテルでケーキを食べるとか、駅前の足裏マッサージに行くとか。

離れた町で暮らす妹に電話で相談したら、インターネット・オークションを勧められた。「簡単だよ。知らない人だからあと腐れもないし」といかにも簡単そうに言った。パソコンでサイトをのぞくと、なるほど、ありとあらゆるものが売られている。紀子は一度試してみることにした。うまくいけば、家の中のいろんな不用品を処分できるかもしれない。

ガイドに従って会員登録をし、早速ピクニックテーブルを出品することにした。添付する写真は近くの公園でテーブルを広げて撮った。一人では恥ずかしいので、祐平に付き合ってもらった。

「面倒臭《めんどくせ》えなあ」反抗期なのでいやそうだった。

でも、デジタルカメラを不器用に操作する母親を見かねて、手伝ってもくれた。ついでに画面上への載せ方も教わる。何度も同じことを聞いて、迷惑がられた。難なくパソコンを使いこなす祐平をまぶしく眺めつつ、時代が変わったことを紀子は実感した。昔、ビデオデッキの操作に四苦八苦していた母が、今の自分だ。世の中の主役が子供たちに移ったのだ。

最低入札価格は送料別で千円にした。本当はその五倍は欲しいのだが、反感を買うことを恐れ、控えめにした。「ゆうパック」の送料も記しておいた。入札期間は一週間。これくらいの余裕を持っておけば、いろんな人の目に触れるだろう。添えた文章はこんなものだ。

《コールマン社製のピクニックテーブルです。一万四千七百円で五年前に購入したものです。使用した回数は十回程度で、傷もへこみもありません。オールアルミ製なので軽量（十二キロ）です。大人四人が座れるゆったりサイズです》

そうか、十回くらいしか使っていないのか。案外そんなものだ。買ったときは盛り上がっても、ピクニックやキャンプなんてそんなに行くものではない。我が家には、元をとっていない物がたくさんあるにちがいない。

オークション用のＩＤは「サニーデイ」にした。爽《さわ》やかそうだし、性別不明のほうがいいと思ったからだ。

送信ボタンをクリックするときは、少なからず勇気がいった。これで後戻りはできない。トラブルが起きませんように。いい人に落札されますように。紀子は心の中で祈った。初体験は何だってどきどきする。


オークションは最初の三日間、音沙汰なしだった。入札者が一人も現れず、その数を示す欄には横棒が素っ気なく引いてあるだけだ。なんだか授業参観で我が子だけ挙手《きょしゅ》していない光景を見せられている心境だった。

同時に紀子は、同じピクニックテーブルがたくさん出品してあるのに驚いた。そのほとんどは新品だ。未使用とはどういうことなのだろう。夫の清志《きよし》に聞くと、「業者なんじゃない?」とだるそうに言っていた。どうやら、倒産した小売店から買い叩いた商品を、インターネットで売り捌《さば》く業者が少なからずいるらしい。

ふうん、そういうことか——。紀子はたちまち弱気になった。専業主婦で十五年もやってきた紀子にとって、世間は気後れするに充分な弱肉強食の世界だ。

ただ希望もあった。ほかはすべて最低価格が五千円以上だ。千円にした紀子の出品は、中古であることを気にしなければ、今のところいちばんのお買い得だ。

そして価格がものを言ったのか、四日目になって初めて入札者が現れた。画面上の欄に「1」という数字が燦然《さんぜん》と輝いている。紀子は思わずバンザイをしていた。価格は千二百五十円とシブチンだが、それでも胸がふくらむ。

さらには翌日、それが「2」になった。新たに入札者が参戦したのだ。まるで自分に買い手がついたようなうれしさだ。

「ねえ、ねえ。入札者が二人もいる」たまたまうしろを通りかかった由佳をつかまえて言った。

「はあ？　何のこと？」由佳は冷蔵庫を開け、ジュースを飲んでいる。紀子が説明すると、パソコンの画面をのぞき込み、「たったの千五百円じゃない」と馬鹿にしたように言い、二階へ消えていった。

薄情な娘め。吐息《といき》をつく。

でも親子なんてこんなものだ。自分だって、十代の頃は親が邪魔でしょうがなかった。

入札者が複数になったことで、紀子はことあるごとにパソコンのオークション・ページをのぞくようになった。ちょっとした日常の楽しみだった。安い価格設定がさいわいしたのか、入札者がどんどん増え、金額も吊り上がっていく。あと一日を残し、五人が入札していて、最高額は二千二百五十円だ。郵送料のことを考えるとこれ以上の伸びは期待できないが、もはや金額ではなくなっていた。反応のあったことがうれしいのだ。

最終日の午後十一時、締め切り時間が来て、山本家のピクニックテーブルは落札された。落札価格は二千五百円で、「パンプキン1号」という可愛らしいＩＤの人物だった。紀子は相手を女性だと推察し、なんとなく安堵《あんど》した。同性のほうが構えなくて済む。

その夜のうちに、早速メールを送った。《落札ありがとうございました》という挨拶《あいさつ》を添えて、こちらの住所氏名と振込先の口座番号、そして地域別の郵送料を記して通知した。このときも緊張した。見ず知らずの人に個人情報を与えてしまうのだ。面倒なことになりませんように――。紀子は手を合わせて祈っていた。もっとも何十万、何百万という人たちが利用しているインターネット・オークションだ。滅多なことは起きないだろう。

翌日、夫と子供たちを送り出してから、恐る恐るパソコンを起動した。すると見覚えのない名前の女からメールが届いていた。気持ちがはやる。件名に「落札者です」とあるから、購入者からのメールだ。

《拝啓　このたびピクニックテーブルを落札させていただいた××と申します。早速のご連絡、ありがとうございました。本日、インターネット・バンキングにて御品代＋送料、計三千八百円を指定の口座に振り込ませていただきました。ご確認ください》

ああよかった。張っていた肩の力が抜けた。相手は常識ある大人の女性だ。礼儀をわきまえている。簡潔で事務的な文章も心地よかった。くだけていたり、なれなれしかったりしたら、逆に警戒したかもしれない。

相手は新潟の人だった。遠いのも逆に安心した。他人との距離はあったほうがいい。紀子はすぐに駅前の銀行へと自転車を走らせた。ＡＴＭで記帳する。ちゃんと振り込まれていた。なんて迅速な人なのか。自分もそれに応えたくなった。急いで自宅に戻り、ピクニックテーブルの梱包《こんぽう》に取り掛かった。箱はなくなっているので、プチプチの付いたビニールシートで幾重にもくるみ、布テープで厳重に留めた。お礼の手紙も添えた。そして十二キロもある荷物を手に提げて近所の郵便局まで歩き、ゆうパックで送った。ゆうパックだと配達確認の通知をくれるので安心なのだ。これで明日には届くはずだ。

手続きをすべて終えると、心がすうっと晴れて、充実感が湧いてきた。自分一人の力で、初めてのインターネット・オークションをこなしたのだ。久し振りに世間とかかわった気がした。

帰り道、少し足を延ばして評判のケーキ屋に行った。普段だと躊躇《ちゅうちょ》してしまう上等なケーキを五個買い、二千五百円丁度を使い切った。不労所得なので惜しいとは思わなかった。

家に帰り、紅茶をいれ、モンブランを一個食べた。あとは夕食後、家族で食べることにした。子供たちもよろこんでくれることだろう。

栗のペーストが沁《し》みるようにおいしかった。なんだかしあわせだった。

翌日の昼、オークション・サイトの管理会社からメールが届いた。件名は「あなたのオークション評価」とある。開くと、こう書いてあった。

《パンプキン1号さんから「非常に良い」と評価されました。次回のご利用をお待ちしております》

落札者からのコメントも載っていた。

《サニーデイさんはとてもよい出品者でした。振り込みの翌日には商品を送っていただき、速やかな対応に感謝しています。商品も問題ありません。ありがとうございました》

紀子は飛び跳ねたいほどのうれしさだった。人に褒められたなんて、いったい何年ぶりだろう。お礼を言いたいのはこちらだ。オークションの手順を改めて読むと、利用者は相手に評価を付けるのが決まりらしい。ほかのユーザーに情報を提供するため、サイト上に公開されるのだ。早速自分も評価のメールを書くことにした。

《パンプキン1号さんはとてもよい落札者でした。振り込みも迅速で、慣れた方との印象を受けました。当方、オークションは初めてなので緊張していましたが、よい人に落札されてうれしく思います。ありがとうございました》

「非常に良い」のボタンをクリックし、パソコンを閉じた。椅子に深くもたれ、両手を挙げて伸びをする。紀子は、何かいいことを見つけたぞ、という思いにひたった。頭の中では、次は何を売ろうかと考えていた。午後は物置と押入れの整理をしよう。不用な物ならいっぱいあるはずだ。家族四人が七年以上も暮らしてきた家なのだ。

## 2

オークションの第二弾は、ぶら下がり健康器を売ることにした。夫婦の寝室の隅に置いてあって、邪魔というほどのものではないが、インテリアの雰囲気を壊すことを不満に思っていたのだ。夫に聞くと、「売ることはないんじゃない？　たまにぶら下がると、背筋が伸びて気持ちいいし」と異議を唱えた。

「最近ぶら下がったの、いつよ」紀子が聞き返す。

「……先月かな」

却下することにした。

紀子自身もときどき使ってはいる。肩こりが治って重宝することもある。でも今は処分したい気持ちのほうが強いのだ。

本来なら分解して送るべきなのだろうが、説明書をとうに紛失しているので、そのまま売ることにした。

《四年前に八千円ほどで購入したぶら下がり健康器です。ずっと室内に置いてあったので傷も汚れもありません。肩こりにお困りの方に最適です。サイズは……》

短いとはいえ文章をひねるのも久し振りだった。なにやらコピーライターにでもなった気分である。うまく書けると、やっぱりうれしい。

嵩張《かさば》るので郵送料が高くつくぶん、値段は安く抑えることにした。どうせお金が目当てではない。可愛らしく五百円にした。

すると出品するなり入札者が複数現れた。三日目で十人を超える人気ぶりなのだ。

「ねえ、ねえ、どういうこと？」キッチンに来た由佳をつかまえて聞いた。

「知るわけないでしょう」素っ気なくあしらわれた。

人気の理由は、サイトのほかの出品物を見てなんとなく推察できた。最近のぶら下がり健康器は、腹筋台などのオプション機能が付いて大型化している。値段も新品で一万円を軽く超えていた。紀子の売りに出した品物はぶら下がりのみの機能で、シンプルさが今となっては貴重なのだ。

商品の人気が自分の人気のような気がした。引く手あまただったことなど、娘時代に少し味わったぐらいで、結婚してからは一度もない。吸い込む空気まで心地よく感じた。

ぶら下がり健康器は三千円で落札された。ピクニックテーブルより高く売れたので大成功だ。落札者は神奈川の女性で、こういうものを欲しがることから中年の主婦と思われた。

振り込みを確認して、すぐに郵便局を呼んだ。大きくて女一人では運べないからだ。若い局員が愛想よく集荷《しゅうか》に来てくれた。民営化大賛成だ。

そして品物が相手に到着した頃、サイトの管理会社からメールが届いた。紀子の評価は、前回同様「非常に良い」だった。先方からのコメントには、《昔ながらのシンプルなぶら下がり健康器を探していました。見つかってとてもうれしいです。サニーデイ様、どうもありがとうございました。大切に使います》とあった。

胸が熱くなった。感謝されるとはなんて素晴らしいものか。当然、先方にも「非常に良い」という評価をつけた。お礼のコメントも載せた。同じ空の下で、きっと似たような中年の女が一人、パソコンを前にしてよろこんでいるにちがいない。

紀子は得た三千円で本を買うことにした。単行本なんてここ数年買い求めたことがなかった。読みたいものがあれば、たいてい図書館で済ませている。この地域の主婦はみんなそうだ。

雑誌のエッセイを読んで気になっていた作家の小説を二冊選んだ。本をレジに置いたときは、少し誇らしかった。ワタクシこういうのも読みましてよ。周囲に気を発してアピールした。

小説はそこそこ面白いという程度だったが、読書をしている自分が快感だった。ゆとりとはこういうことなのだとあらためて思った。

さて次に売るものは……。活字を目で追いながら、そんなことを考えている。

初めてそれに気づいたのは、ＰＴＡの会合に行くために、鏡に向かって化粧をしているときだった。目の下の皺《しわ》が一本、消えていたのだ。えっと思って目を凝らす。間違いではなかった。

今年になって刻まれた一本の皺は、これまでとは種類のちがう深いもので、紀子を憂《ゆう》鬱《うつ》にしていた。四十二歳という年齢をあらためて思い、この先は容赦なく老いていくんだな、と一抹の淋しさを感じていた。それが消えたのだ。

こんなこと、あるのだろうか。自然に皺がなくなるなんて、聞いたことがない。狐につままれたような思いで鏡を見つめた。そういえばここ数日、ファンデーションののりがいい気がする。顔に伸ばすと、すっと吸い込むように肌に馴染《なじ》んでくれるのだ。便秘もなくなった。毎朝お通じがある。ここ数年ではかなり珍しいことだ。

ともあれ皺が減ったのは歓迎すべきことである。……いや歓迎どころではない。ハンドマイクを持って町内に触れ回りたいくらいだ。現に今、声を上げそうになるのを懸命に堪《こら》えている。

俄然《がぜん》、今日の外出がうれしくなった。パンツはやめてタイトスカートにした。化粧もちゃんとした。香水も振りかけた。

家を出て通りを歩くと、自然に背筋が伸びた。商店のウインドウに自分を映して見とれたりしている。こういうの、久しくなかったな。まったく皺の一本ぐらいで――。心の隅には冷静な自分もいて、苦笑している。

中学校の体育館に到着し、顔見知りの母親たちと挨拶を交わした。女同士の性《さが》で、つい互いの服装やメイクのチェックをし合う。専業主婦だとどうしても出かけるところが少ないから、ＰＴＡでもおしゃれをしてしまうのだ。

紀子は自分が勝っている気がした。肌に張りがあるから、飾りの勝負ではなくなるのだ。

若作りで有名な同じクラスの母親が、おやっという顔で紀子を見た。意識されていると思った。同い年で仲のいい母親からは、「あれ？　ヘアスタイル変えた？」と聞かれた。

「ううん。いつもどおり」余裕で答えた。

「そうよね。なんか印象ちがうから……。若く見えるかも、ふふっ」

「ありがとー」女学生のように抱きついた。

紀子は確信した。自分は輝いている。

会合では、普段は各種の報告を黙って聞いているだけなのに、この日は初めて質問をした。思わず挙手してしまったのだ。

「学校のセキュリティについて、具体的な対応マニュアルはあるのでしょうか。昨今、学校への侵入事件が相次いでいるので、親としてはその点が心配なんですが……」

言いながら自分にびっくりした。教師たちが急に真面目な顔になり、焦りながら現状の不備を認め、早急に検討することを約束した。一瞬にして、周囲の紀子を見る目が変わった。自信とは恐ろしいものだと、紀子は他人事《ひとごと》のように思った。

会合が終わると、PTAの会長が親しげに話しかけてきた。

「山本さん。よかったら来期、役員をやってくれませんか？　みんなに辞退されちゃって」

「とんでもない。わたしなんて――」

あわてて手を振り固辞した。でも満更ではなかった。男の人から頼みごとをされるなんて、この町に来て初めてのことだ。

オークション出品の第三弾は、なかなか見つからなかった。不用な物はたくさんあるのだが、価値の低いものは売るのが図々しいようで気が引けるのだ。

祐平のキックスケーター。だめだろうな。新品でも五千円しなかったし、いまどきこれで遊ぶ子供はいない。

由佳の小さくなったセーター。これもしょぼいか。ブランド物ならいざしらず、ダイエーで買ったバーゲン品だ。

思案しながら、家の中をあちこち探した。どうせ出品するなら、入札者がたくさん名乗り出る物がいい。無視されたら惨めな気分になってしまいそうだ。

階段の下の押入れから、夫のギターが出てきた。黒いハードケースに入っていて、「YAMAHA」のロゴが刻印してある。清志が三十歳ぐらいのとき、紀子に無断で買ったものだった。「楽器屋をのぞいたら懐かしくてさ、つい衝動買いしちゃった」と、確かそんなことを言っていた。中古品だと弁明するので許してやった。買った当初は、弦を爪弾きながらイーグルスの曲をヘタクソに歌っていたが、ここ数年は触ったこともないはずだ。記憶をたどっても、この家を買ってから、夫がギターを抱えた姿が浮かんでこない。もう七年以上だ。

売っちゃうか、無断で――。紀子の中で黒い気持ちが湧き起こった。清志に聞けば拒否するに決まっている。「思い出が詰まってるんだぜ」とか勝手なことを言い出すのだ。

よし決めた。黙っていればわからない。国産品だし、高価なものではなかろう。それに楽器ならば必ず買い手が現れると思った。ギターを始めたい人はたくさんいる。そういう人は、最初は中古の安物を求めるものだ。

早速デジタルカメラで写真を何枚か撮った。本体の穴の奥にラベルが貼ってあったのでそれも撮った。「FG－180」。きっと型番だ。

《何年物かは不明ですが、ヤマハのFG－180というアコースティックギターです。もう七年以上使っていませんが、板の反《そ》りはなく、傷もありません。ハードケース付です。これからギターを始めてみたいという人、いかがですか？》

コメントを書いた。さて、いくらからにしたものか。サイトの楽器ページを見たら、アコースティックギターはだいたい五千円前後が多かった。

紀子は五百円からにした。中古もいいところだし、贅沢《ぜいたく》は言っていられない。そして出品すると、その日のうちに入札者が複数現れ、価格はすぐさま五千円を超えた。

「うそ」紀子は飲んでいたコーヒーを吹いてしまった。ギターって人気があるんだ――。でも少し考えたら理解できた。ヴァイオリンやピアノといった木製の楽器は、古くなっても価値が下がらない。名器だと年代物ほど高かったりする。ギターもその仲間なのだ。

たちまち上機嫌になった。五千円あればおいしいものがいっぱい食べられる。妹を誘ってホテルでランチとしゃれ込むのもいいかもしれない。

清志には何食わぬ顔で接した。

「ねえ、わたし、変わったと思わない？」遅い夕食を一人でとる清志の前に座り、そんなことを聞いてみた。

夫が顔を上げる。「なんだ、体重が一キロ減ったとか、そういうことか」気のない返事をした。

「そんなことぐらいで——」吐息をついた。「あのね、PTAで若く見えるって言われたんだよ」

「いいねえ、女同士は。互いを褒めあってればいいんだから」清志が、馬鹿にしたように笑い、顎《あご》を突き出す。

これ以上相手をするのはやめた。そこへ祐平が二階から降りてきた。

「ユウちゃん。おかあさんね、PTAの会長に役員になってくれって言われちゃった」

「ふうん」

こちらを見もしないで冷蔵庫を開け、ジュースを飲んでいた。

「あ、そうだ。今度のバスケの新人戦。おかあさん、観に行ってもいい？」

「だめ」祐平は即座に拒絶した。

「どうしてよ。一年生でも出られるんでしょ？」

「親なんてどこも来ないよ。うちだけなんて恰好悪いじゃん」

急に不機嫌になってキッチンを出て行った。

まったく家族は妻と母親に無関心だ。当然そこにいるもの、としか思っていない。

出品したギターは三日で二万円を超えた。入札者は二十人を数えている。紀子はパソコンの画面を凝視しながら、眉をひそめた。うれしいというより戸惑ってしまう。ギター なんて一万円も出せば新品が買えるはずだ。

不安に駆られ、インターネットで「YAMAHA FG－180」を検索した。すると百件を超えるヒットがあった。「ヴィンテージギター名鑑」なるサイトがあり、開いてみる。

《ヤマハFG－180。国産フォークギターの1号器。日本のフォークブームの火付け役となり、プロもアマもこのギターに飛びついた。当時の価格1万8000円で、66年から70年にかけて約5000本が生産された》

紀子は目を覆った。名のあるギターではないか。国産一号器だって。どうしてそんな価値のあるものが我が家の押入れにあるのか。

ただ、価格相場は三万円台で、その点だけは安堵した。みんな多少は冷静なようだ。三万円なら罪の意識も薄れる。

清志には正直に言おう。七年も放ってあったのだから、夫にだって落ち度はある。

ところが、言い出すタイミングを計っているうちに、清志は突然の出張に出かけてしまった。西日本へ三日間。そして入札の期限が切れ、ギターは四万二千円で落札された。

《地方にいるとヴィンテージギターはなかなかお目にかかれません。落札できてとてもラッキーです。写真を見たところとても美品で、しかも貴重なオリジナル・ギターケースが付いているのに感激しました。サニーデイ様、ありがとうございました》
落札者は秋田在住の中年の男らしかった。なるほど、オリジナルケースで値が上がったわけだ。マニアの世界はわからない。紀子は開き直ることにした。万が一、夫がギターがないことに気づいても、「知らない」で言い通す。
落札者は「非常に良い」という評価をくれた。追伸のメールによると、商品の状態もよかったらしい。
《無事届きました。音の響きが最高です！　使い込めばもっとよくなると思います。返す返すもありがとうございました》
中年男が子供のように興奮している光景が目に浮かんだ。「！」のマークにこちらまで感動してしまった。よかった。よろこんでくれて――。なんだかマザー・テレサにでもなったような気分だ。
思わぬ大金が入ったので、妹と二人で都心のホテルの「エステ日帰りコース」に出かけた。フレンチの昼食をとり、サウナに入り、念入りなオイルマッサージを受け、アロマの置かれた部屋のリクライニングシートで昼寝した。こんな贅沢は結婚して以来初めてだった。
紀子はしあわせを嚙み締めていた。

# 3

「ねえ山本さん、最近何か始めた？」

町内会の古紙回収のとき、近所の主婦に聞かれた。さっきからちらちらと紀子を盗み見ていたが、気になってしょうがないといった様子で声をかけてきたのだ。

「何かって？」

「スポーツジムに通ってるとか、新しい美容法を始めたとか」

「ううん」口をすぼめて答える。「何も。毎日家事に追われてるだけよ」

「そうかなあ。肌なんかすべすべじゃない」主婦が遠慮なく頬を触った。「これって新陳代謝がいいからよ。運動してるんでしょう」

「してないわよ」紀子は苦笑した。

「じゃあエステ」

「この前、ホテルでオイルマッサージなら受けたけど」

「じゃあそれだ。わたしにも教えてよ」

真剣に言うので、笑い転げてしまった。そんな、たった一回のエステで――。

でも飛び跳ねたくなった。家族は気づかなくても、わかってくれる人はいる。

家に帰ってからまじまじと鏡を見つめた。確かに肌に張りがある。頬全体がアップした感じがある。気のせいではない。若返っているのだ。

紀子は心当たりを探った。ホテルのエステ以外、何をしたというわけではない。この前の皺だって勝手に消えてくれたものだ。無理矢理こじつけるなら、インターネット・オークションにはまって、新しい楽しみができたということぐらいだ。

両手で頬をマッサージしながら考えた。ありえないことではない。女優は見られることできれいになるという。ちょっとした心の張りで、女はいくらでも変われるのだ。自分はインターネット・オークションで、落札者から「非常に良い」と感謝されることで自信が生まれ、若返っているのかもしれない。

そうとなれば次に売る物だ。紀子は家の中を物色した。

使わなくなったバッグ、着なくなった服、電池が切れたまま放置してある腕時計……。だめだ。ブランド物ならいざ知らず、どれも無名の商品だ。フリーマーケットで処分するようなシロモノだ。

いっそのこと家具を出してみようか。この家に引っ越したとき、来客用にとダイニング用チェアを二脚余分に買ったが、使ったためしがない。プレハブの物置で眠っているだけだ。安物だけれど新品同様なので、誰か必要としてくれるだろう。クッション部分が赤いのも可愛い。

よし、これに決めた。紀子は撮影をして早速出品した。

《七年前に来客用にと買った木製の椅子ですが、ほとんど使うことなく物置で眠っていました。ですから新品同様です。購入価格は一脚五千円程度だったと記憶しています。サイズは……》

もう文章を書くのはお手の物になった。正直に書くのが信用を得ることもわかった。美辞麗句は逆に警戒される。

価格はペアで千円からにした。目標は四千円だ。平日の昼に特上寿司でもとって食べたい。

ところが椅子は一向に入札者が現れなかった。毎日暇さえあればサイトをのぞくのだが、その都度、横棒が淋しげに引かれている。締め切りまで二十四時間を切っても、反応はなかった。

紀子は落胆した。心なしか、肌の艶もなくなってきた気がした。もっと魅力ある商品を出さないといけないな。ブランド品とか、もう手に入らないものとか——。

流れるのを覚悟していたら、締め切りの数分前に入札者が一人名乗り出てくれた。競争相手がいないので、落札金額は最低線の千円ぽっきりだ。きっとほかに入札者がいないので、「千円なら」と買うことにしたのだろう。まあいい。無視されるよりはましだ。

落札者は埼玉の男だった。

気を取り直し、荷造りをした。振り込みを確認して、ゆうパックで送る。届く先が一人暮らしの学生とか新婚夫婦とかだったらいいな、と、そんな空想をした。相手がよろこんでくれたらそれでいい。

翌日、メールが来た。相手の評価は「普通」だった。普通？　紀子はかっと顔が熱くなった。どうして「非常に良い」ではないのか。

《一脚、足の一部に傷あり。小さなものですが、今後は写真に撮って載せてください。判断材料になります》

傷なんて、ちょっと角にぶつけてついたへこみに過ぎない。いくらなんでも神経質過ぎる。それにたった千円でここまで細かく言うことはないだろう。

憤慨して続きを読むと、最後に《ほかにご不用の家具があったら買い取ります。直接メールをください》とあった。

紀子は舌打ちした。きっと業者だ。流れそうな品物を選んで、安値で仕入れて、転売しようとしているのだ。

まったくいやな世の中だ。出品するんじゃなかった。おまけに「普通」とは。マナーすらも知らない中年男なのだ。

頭にきたので相手の評価は無視した。向こうは痛くも痒《かゆ》くもないだろうけれど。

むしゃくしゃしながら鏡をのぞいたら、いつぞやの皺が復活していた。一瞬にして血の気がひく。

なんてことか。せっかく若返りかけていたのに——。紀子はたちまち暗くなった。今回のオークションのせいだ。感謝されない不満が肌に表れてしまったのだ。

居間のソファに突っ伏し、クッションに顔を埋めた。頭に浮かんだのは、次は何を出そう、ということだった。このくやしさを晴らすためには、オークションで取り返すしかない。価値のあるもので、よい評価を得るのだ。

自分に気合を入れて起き上がる。もう一度家の中をチェックすることにした。

「ねえ、あなたのレコード・プレーヤー、インターネット・オークションで売ってもいい？」

夜遅くに帰宅した清志に向かって聞いた。紀子の指は、庭にあるプレハブの物置をさしている。そこにレコードの詰まった段ボール箱があり、その中に古びたプレーヤーを発見したのだ。

「だめだよ。レコード・プレーヤーはいまや貴重品だぞ」

清志がお茶漬けを食べながら、とんでもないという口調で言う。もちろん予想していた。夫は若い頃、外国のロックのレコードばかり聴いていた。

「でも長いこと使ってないじゃない」

ＣＤコンポを買ってからというもの、レコードはずっと出番なしだ。

「いつかまた聴くの。由佳と祐平が巣立っていったら、ちゃんとしたスピーカーを買って聴き直すの。おれの老後の楽しみだよ」

「わかった……」

紀子は引き下がることにした。老後の楽しみと聞いて、背筋がひんやりした。話の流れでギターを思い出されたら事だ。

「おまえ、インターネット・オークションにはまってるのかよ」と清志。

「ううん。別に」かぶりを振ってとぼけた。まずい。ギターを思い出しちゃうかも——。

清志が箸を止め、何か言いたそうな顔で紀子を見つめた。

「何よ。おまえも老けたなあ、とか言いたいわけ？」わざと喧嘩腰《けんかごし》で言った。

「そんなわけないだろう。何をひがんでるんだよ」

「ひがんでなんかいません」

紀子は立ち上がると、流しで洗い物を始めた。

「なあ、紀子。まさかインターネットのチャットに夢中だとか、そういうのはないよな」清志がぽつりと言った。「会社の後輩の奥さんで、子供に手がかからなくなって、話し相手欲しさにインターネット中毒になった人がいてな。そいつ、悩んでるの」

「チャットって？」知らないので聞いた。

「じゃあ安心。最近いつもパソコンをのぞいてるから、少し気になってた」

「あらそう。心配してくれてありがとう」

よかった。ギターは忘却の彼方だ。紀子は安堵した。

夫の持ち物はやめよう。藪《やぶ》をつついて蛇を出したくない。


新宿で買い物をして、紀伊國屋書店に寄ったとき、紀子はいいことを思いついた。著者のサイン本が高く積んであるのを見て、これをオークションに出そうと考えたのだ。地方のファンならば喉から手が出るほど欲しいにちがいない。買って、読んで元を取って、定価より高く売る。一石二鳥だ。

サイン本の著者は奥山英太郎という聞いたことのない作家だった。でもいい。流通が少ないほうが値打ちも出るというものだ。それにカルト人気があったりしたらラッキーだ。

早速買って読むと、愚にもつかないお笑い小説であった。やや不安になる。でもインターネットで著者名を検索したら、サイン会を開いたことのない偏屈な作家らしいことを知って勇気づけられた。オークション・サイトにもこの著者のサイン本は出ていない。希少価値は高いようだ。

定価の半額で出してみると、すぐに入札者が数人現れた。胸の中がぽっと温かくなる。

この瞬間が好きなのだ。毎日入札状況を見るのが楽しみになった。

一週間後、定価千六百円の本なのに三千円で落札された。鹿児島の女性で、この著者の大ファンということであった。

≪田舎の書店では到底サイン本など置いてありません。ずっとファンだったのでうれしい限りです。家宝にします。サニーデイ様、ありがとうございました≫

そして評価は「非常に良い」だった。ああよかった。安堵するとともに、全身に軽い鳥肌が立ち、肌がきりりと引き締まる感じがあった。それはエクスタシーと言ってもよかった。

これこれ、これだ。こうやって女は美しくなるのだ。

紀子はその三千円で、念願の特上寿司をとって食べた。子供が産まれてからはずっと回転寿司ばかりだったので、ことのほかおいしく感じた。穴子なんて舌の上でとろけるほどだ。器は自分で返しに行った。子供たちに見られたら非難されるに決まっている。

そして便秘が治り、例の皺が消えていた。家の中で一人ガッツポーズをした。

## 4

紀子の頭は、もはやインターネット・オークションのことで一杯だった。暇さえあれば家の中で売るものを探しているし、書店をのぞけばサイン本はないかと目を走らせている。

オークション・サイトを毎日のぞきながら、気づいたこともあった。一部に常連がいて、ほとんど途切れることなく、何かを出品しているのである。

沢田研二のコンサート・パンフレットを出している人が、ほかのページでは防災用ラジオを出していたりする。ともに家で邪魔になるようなものではなく、高い値がつくわけでもない。どう考えても趣味としか思えない。

きっと自分と似たような主婦なんだなと紀子は推察した。たいていの利用者は、取引がつつがなく完了して商品に問題がなければ、「非常に良い」という評価を下す。他人から褒められることのない主婦は、それだけでうれしくなる。その充実感を得たくて、つい毎回オークションに参加してしまう——。

半分苦笑して、半分しみじみした。みんな同じだ。人との関わりを求めている。

紀子は迷った末、コーヒーカップ・セットを出すことにした。我が家が車を買い換えたときディーラーからプレゼントされたもので、一度使っただけで放置してある。来客用にと思っていたのだが、メーカーのロゴがいかにも貰《もら》い物然としていて貧乏臭く、使うのをやめたのだ。

未使用じゃないのは気が引けるが、五人分なのでどこかに必要としてくれる人はいるだろう。大家族とか、小さな会社とか。

価格は千円からにした。一回だけ使ったことは正直に申告した。《煮沸消毒して箱に詰めてお送りします》とコメントして出品した。

すると予想に反して入札者が殺到した。ほんとに？　紀子は目を丸くした。「HONDA」のロゴ入りがいいわけ？　女の感覚からすれば邪魔なだけなのに……。少し考えて納得した。これはシャネルやグッチのマークと一緒だ。やはり限定品は強い。

あろうことか、コーヒーカップ・セットは一万円で落札された。紀子は夜中に一人でバンザイしていた。美容院へ行こう。ヘアスタイルを変えて銀座へ映画を観に行くのだ。


あちこちで変わったと言われた。近所の主婦やPTAの母親たちに、「ちょっと、きれいになったんじゃない？」と詰め寄られた。直接の言葉はなくても、「あら？」という顔で見られることも何度かあった。

めかし込んで銀座を歩いたときは、高級ブティックの小冊子を道端で手渡された。振り返って観察すると、ダサいおばさんは無視されて、配られるのはきれいな女に対してだけであった。自尊心がくすぐられた。

何よりときめいたのは、休憩で入ったカフェで、近くのテーブルのハンサムな中年ビジネスマンからちらちらと盗み見られたことだ。気のせいではない。いい女がいるじゃん——。そういう目だったのだ。

紀子は自信が湧いてきた。PTA役員、やってもいいかも。それというのもインターネット・オークションのおかげだ。

となると次に売るものだが、さすがにストックが尽きた。我が家にはめぼしい品物など何も残っていない。

オークション・サイトを見ながら、みんな何を出品しているのかなとチェックしていると、帰宅した清志がうしろからのぞき込んできた。

「毎晩、毎晩、何をやってるのよ」

「いいじゃない、わたしの趣味なんだから」

「素敵な趣味をお持ちで」

小馬鹿にした言い方に、紀子はむっとする。でも気を取り直して外食をねだることにした。

「ねえ。来週の水曜日、わたしの誕生日じゃない。イタリアンでも食べに連れてってよ」

おしゃれをして外出したかった。それも夜に出かけたい。

「子供は？」と清志。

「平気よ。中学生なんだから。たまには留守番させて夫婦で遊ぶのもいいじゃない」

「ああ、たまにはいいかもね。でも残念でした。おれ、来週は丸々近畿へ出張」

紀子は黙って歯を嚙み締めた。清志がせせら笑ったように見えたからだ。

「お土産買ってくるよ。伊勢にも寄るから伊勢えび買って鍋でもしよう」

「真珠のネックレスがいい」

「そんなお金はありません」

取り合ってもらえなかった。癪に障ったのでそのままパソコンに向かい、食事も温めてやらなかった。

清志のゴルフクラブでも出品してやろうか。紀子はそんな腹黒いことを考えている。


どうしてもオークションにかける品物が見つからないので、もう一度レコード・プレーヤーを取り出してみた。それは重箱のような四角い形をしていて、メタリックな外観がSF的でもあった。きっと昔はこれが進歩的だったのだろう。CDに取って代わられた今となっては時代のあだ花だ。プレーヤー本体は意外と軽かった。だから高級品ではなさそうだ。

コンセントにつないでレコードを載せ、スタートボタンを押すと、ちゃんと回ってくれた。モーターは異状ないようだ。音を出すにはほかの機材が必要なので、それ以上のことは確かめようがない。

出品しちゃうか——。紀子は口の中でつぶやいた。ばれたら新しいのを買ってプレゼントすればいい。電器店で探したら隅っこにいくつか置いてあり、三万円前後だった。新品でも安いものだ。

清志の言葉が浮かぶ。「素敵な趣味をお持ちで」——。まったく腹立たしい。主婦を完全に馬鹿にしている。

よし売ろう。そうする権利が自分にはある気がした。数年前まではパートで家計を助けていた。欲しいものも我慢して子供のために回してきた。

写真を撮ってコメントを書いた。本体にプリントされた横文字が製品名だろうと予測して、それも記載した。

《TechnicsのSL-10というレコード・プレーヤーです。ずっと物置に眠っていましたが、ちゃんと回ります。取引後、もし不具合があるようでしたら返品に応じます》

値段は五千円からにした。古い品だから、懐かしさから欲しがる人だっているはずだ。

夫の出張の日に出品した。「じゃあね」と、軽く手を振って出かけていったので疚《やま》しさはなかった。誕生日のことは無視されたのだ。

ふん。売れたら一人で松阪牛のステーキを焼いて食べてやる。平日の昼間に。

紀子は鼻息荒くパソコンを操作した。

ＳＬ－10というレコード・プレーヤーは、あれよあれよという間に落札価格が上がっていった。その日のうちに三万円を超えたのだ。

紀子はいやな予感がした。また地雷を踏んでしまったのだろうか。恐る恐る製品名で検索すると、果たしてＳＬ－10は往年の「名機」というものらしかった。

《テクニクスのＳＬ－10は国産初のリニアトラッキング・モデルで、１９７９年の発売当時、価格10万円ながらベストセラーを記録した……》

思わず顔をしかめた。ギターといい、これといい、もしかして清志は物を見る目があるのだろうか。どうしてうちなんかに「お宝」があるのか。

それにつけても男の世界はわからない。たかがオーディオの中古品だろう。バッグのように人に見せびらかせるものでもなし、なんでこんなものをありがたがるのか。

そして数日後、五万円を超えるとさすがに気が咎《とが》めた。取り消せないかとサイトの規約を調べてみたが、どうやら無理そうだった。

紀子はソファに寝転がり、考え込んだ。どうしたものか。正直に謝ろうか。ごめん、出しちゃった、と。

だめだな。そうなるとギターの件も白状しなければならない。ヴィンテージ物を二つも内緒で売ったとなれば、清志は目を吊り上げて怒り出すだろう。

吐息をつく。窓の外に目をやると、秋の空はどこまでも高かった。雲ひとつない青い天空に、太陽がきらきらと輝いている。

サニーデイ、か――。どこかへ行きたいな。海とか、山とか。家族以外との旅行なんて、結婚してから一度もない。ずっと家にいた。家族の世話を焼いてきた。そして今日、四十三歳になった。

SL-10というのが売れたら、妹を誘って北海道にでも行ってやろうか。紅葉見物をして、蟹でも食べて、ゆっくり温泉に浸かる……。そうしたってバチは当たらないはずだ。神様だってきっと自分に味方をしてくれる。

目を閉じ、深呼吸をした。数秒後、目を開く。

よし。開き直ろう。ばれたらそのときだ。喧嘩になったら泣いてやる。

目指せ十万円だ。どうせなら一流旅館に泊まってやる。

紀子は起き上がると再びパソコンに向かった。

夕食はすき焼きにした。自分の誕生日だから奮発したのではなく、料理が面倒だったからだ。子供たちは肉好きなので文句はあるまい。

材料を揃《そろ》え、二階にいる子供たちに声をかけた。「由佳、祐平。晩御飯よ」

二人がゆっくりと階段を降りてきた。席には着かないで、テーブルの手前で並んで立っている。二人とも背中に何か持っていた。

「どうしたの？　早く座ってよ」

子供たちは赤い顔をしていた。なにやら照れているような——。

由佳が肘《ひじ》で祐平をつつく。「あんた言いなさいよ」「おねえちゃんこそ」二人でひそひそ話をしていた。

「何よ。なんかあったの？」紀子が訝《いぶか》る。

由佳がひとつ咳払いして、口を開いた。「おかあさん、誕生日おめでとう」次の瞬間、目の前に花束を差し出された。

「おめでとう」祐平が続く。祐平の手にはリボンを飾った小箱が載っていた。

「うそ」紀子は目を丸くした。子供たちは笑顔だった。

予期していなかった。こんなの初めてだ。だから言葉が出てこない。

「おとうさんがね、出張に行く朝に、『水曜日はおかあさんの誕生日だから、二人で何かプレゼントしろ』って」由佳がはにかみながら言った。

「花でも買えって三千円くれたけど、ぼくらも五百円ずつ足したんだよ」と祐平。

「あんた余計なこと言わないの」由佳が鼻に皺を寄せて弟を非難した。

胸が熱くなった。スイッチひとつで号泣してしまいそうだ。

「ありがとう。おかあさん、うれしい」やっとのことでその言葉だけ絞り出した。

花の匂いをかぐ。天にも昇りそうな幸福感だった。祐平から渡された小箱を開けると、中は可愛らしいブローチだった。全然高そうじゃないのがいじらしくて、心に沁みた。きっとこの先、自分の宝物になるのだろう。

「やった。すき焼きだ」祐平がはしゃいで言った。

「祐平、ちゃんとネギも食べるんだよ」由佳が母親のような小言を言った。

二人とも照れ臭くてしょうがないのだ。

この子たちを産んでよかった。考えてみれば、ずっと家族からしあわせをもらっていた。

三人で鍋を囲んだ。いつもは黙々と食べるだけの由佳と祐平が、やけに学校の話を聞かせてくれた。やさしくしてくれているのが、手に取るようにわかった。

紀子は何度も花に目をやり、その都度「ありがとうね」と言った。

このしあわせな気持ちで、あと十年は平気だと思った。

自分には家族がついている——。

夕食後、伊勢に移動した清志から電話がかかってきた。開口一番、「真珠のネックレス、高《たけ》えの」とおどけて言っていた。

「イヤリングでもいい？」

「もちろん。買ってくれるだけでうれしい」

紀子は、子供たちに花を贈らせてくれたことの礼を言った。「ありがとう」「どういたしまして」夫婦なのになぜか照れて、ロマンチックな会話とまではいかなかった。

「ところでどういう風の吹き回しなの？」紀子が聞いた。

「おまえがパソコンに夢中だから、何か病んでるんじゃないかと心配してさ」

「馬鹿ね。病んでなんかないわよ」小さく苦笑した。

「真珠のイヤリング、オークションで売らないように」と清志。

「売るわけないじゃない」

答えてから、レコード・プレーヤーを思い出し、お尻のあたりに悪寒が走った。いけない。自分はやってしまったのだ。もう取り返しはつかない。

電話を切ってパソコンをオンにした。ページを開くと、なんと七万円になっていた。しかも入札締め切りは今夜の十一時だ。

紀子は低くうめき、頭を抱えた。落札者に謝って勘弁してもらおうか。夫に内緒で出してしまいました、と。そういうの、許されるのだろうか。

もはや売れない。清志を裏切りたくない。

「そうだ」紀子は立ち上がった。妹がいるではないか。インターネット・オークションを薦めた張本人の妹が。

急いで電話をかけた。

「ああ、わたし。遅くに悪いけど、今すぐオークションのサイトを見て、テクニクスのSL－10っていうレコード・プレーヤー、十万円で入札してくれない？」

「はあ？　エスエルテン？　何よそれ」電話の向こうで妹が素っ頓狂な声を上げていた。

「あのね、サニーデイっていうＩＤの人がいて、それ、わたしなんだけどね……」

「サニーデイ？」

「だからね……」

紀子は懸命に説明した。額に汗をいっぱいかいていた。

# ここが青山《せいざん》

# 1

十四年間勤めた会社が倒産した。三十六歳の湯村裕輔《ゆむらゆうすけ》は、それを遅刻した朝礼で社長の口から知らされた。

月曜の朝、開かずの踏み切りにつかまり、いつもの急行に乗れなかった。通常は遮断機をくぐって強行突破するのだが、その日は、踏み切りの前に近くの交番の警官が立っていて、高校生やら、ＯＬやら、みんなで赤い車輛の急行を見送ることとなった。要するに、下級官吏の嫌がらせ兼憂さ晴らしである。その性格の悪い警官は、近所で〝馬鹿ポリ〟と呼ばれていた。単純だが、吐き捨てやすいネーミングである。

ともあれ、始業時間に十五分ほど遅刻し、頭を低くしてオフィスに入ると、約六十人の社員を立たせて、五十代でヅラ頭の社長が訓示を垂れていた。裕輔は自分の席まで行かず、端で終わるのを待つことにした。

庶務の女子社員と目が合った。裕輔が微笑《ほほえ》むと、彼女は困った顔で微苦笑した。横に視線をずらすと、麻雀仲間の同僚がいた。なにやら血の気のない顔で前方の社長を見つめていた。このあたりで様子が変であることに気づいた。

「まことに断腸の思いでありますが、当社は二十年の歴史に幕を下ろすことになりました」

うそ。社長の言葉に裕輔は絶句した。

「先週より金策に走ってまいりましたが、銀行の返答は無情にも融資打ち切りというもので……」

おっとっと。口の中でつぶやいた。いきなりのことで、実感が湧かなかった。

朝礼が終わると、社長は幹部たちに囲まれ、そそくさとオフィスを出て行った。一人、総務担当の取締役が残り、残りの給料の日割り分がいつ支払われるか、健康保険と厚生年金がどうなるかを説明した。退職金は支給されず。組合がないから、それで押し切られるのだろう。管理職たちが残務整理をすることも決められ、平社員はこの場で用なしになった。

裕輔はオフィスを見回した。壁に貼られた成績表。色褪せたロッカー。入社して十四年も経ったのかと少し感慨に耽《ふけ》った。あの頃は、社長もちゃんとしたハゲ頭だった。

駅伝部のみが有名な私大を出て、就職した会社だった。コンピューター関連ということで将来性を謳《うた》っていたが、実際の仕事は広告営業だった。毎日靴底を減らして営業に歩いた。すぐにめげたが、仕事と割り切り我慢した。二年もしたら慣れた。小さな会社で家族主義的なのもよかった。

三十六歳で年収六百万円は、まあ普通だろう。結婚して六年の妻と、四歳の息子がいる。マンションのローンがあと三十年残っている。だから会社の倒産は笑い事ではない。

営業部の同僚たちと机で顔を寄せあった。「まいったね」「どうする？」みんな案外冷静だった。誰に対してなのか、せせら笑っている者もいる。

部長に指示を仰ぐと、「おれは残務整理だ。君らは帰ってよし」と硬い表情で言った。山科《やましな》という四十五歳の部長には、来年大学受験を控えた双子の娘がいた。ちらりと見た指先がかすかに震えていた。

裕輔はとりあえず妻のケータイにメールを打った。電話だとどういう声を出していいのかわからなかったからだ。

《ビッグなサプライズ。本日当社倒産！》

妻の厚子《あつこ》からはすぐに電話がかかってきた。

「これ、ほんと？」

「そう。朝礼でいきなり言われちゃった。今日から失業者」努めて明るく言った。

「ふうん。わかった。今夜、何食べる？」

「すき焼きってわけにはいかないだろうね」

「いいんじゃない。安い肉なら」

こんな場合だからなのか、どうでもいい会話をした。厚子は、息子の昇太《しようた》が下痢ピーで幼稚園で漏らさないか心配だと、そんなことを言っていた。

電話を終えると、同僚が麻雀をやろうと言い出した。断る理由はなかった。会社の近くの雀荘《ジャンそう》は夕方からなので、歌舞伎町まで行き、バーテンや中国人に交じって卓を囲んだ。

「社長がハゲ頭を粉飾した頃からおれは危ないと思ってたんだよ」

最後だからみんなで好きなことを言った。

午前中からビールも飲んだ。気前よく大三元も振り込んだ。なんとなくほどけてしまったのだ。

夕方帰宅すると、厚子が美容体操をしていた。床で体をねじり、玉の汗をかいている。

「おかえり。材料は買ってあるから、ユウちゃん、すき焼きの支度して。それから昇太を先にお風呂に入れて」

「うん、わかった。でも何してるのさ」

「昔のスーツ引っ張り出して着てみたら、入んなかったの。だからシェイプアップ」

「ふうん」裕輔はオモチャで遊んでいた昇太を抱き上げ、頬ずりした。

「あのね、わたし、明日から働くことにした」

「えっ」突然のことで驚いた。「どこで？」

「前の職場に電話したの。アテナ経済研究所。そしたら社長が『亭主が失業？　だったら君がうちに職場復帰しろ』って。それで行くことになった。給料、それなりにくれるって」

「あ、そう」

「何か感想は？」

「ええと……ごめん」

「なんで謝るのよ」

「君に苦労かけるなって思って」

「おめでとうって言ってくれるかと思った」

「ああ、そうね……。そういう見方もあるね。じゃあ、おめでとう」

「ありがとう。これで湯村家は路頭に迷わなくて済む」

厚子が八重歯を見せて言った。逆さサイクリングの姿勢なので、頬の肉が躍っている。

裕輔は踵《かかと》が浮くような体の軽さを覚えた。軽くなって初めて重圧を感じていたことがわかった。おれについて来いというタイプではなくても、人並みの責任感はある。

「ワオ」声にして言ってみた。

「ワオ」厚子が笑って返した。

裕輔は背広を脱ぎ、襟からネクタイを引き抜き、エプロンをまとった。冷蔵庫から野菜と肉を取り出した。手を洗った。ザクザクとネギや白菜を切った。明日からの一家の門出を祝うように、野菜が瑞々《みずみず》しかった。

翌朝は六時に起きた。厚子が働きに出る以上、家事は自分がやらねばならないと思った。それについて話し合いはしなかったが、暗黙の了解で、裕輔だけがそっとベッドを降りた。

炊飯器はゆうべのうちにタイマーセットしてあったので、味噌汁を作ることにした。はて、どうやって作るのか。裕輔は流しの前で考え込んだ。独身時代は外食ばかりで、結婚後は厚子が料理すべてを受けもっていた。恥ずかしながら味噌汁の作り方を知らない。

材料を並べてみた。豆腐と、揚げ。二つじゃ淋しいか。ジャガイモを加えることにした。

で、まず出汁《だし》をとるんだよね。ひとりごとを言う。グルメ番組が多いせいで、それくらいの知識はあった。けれど、探してもカツオも昆布も見つからなかった。うーむ。我が家の味噌汁は、もしかして出汁をとっていなかったのでは……。

申し訳ないと思いつつ寝ている妻を揺り起こして聞くと、「だしの素。台所の引き出し」と簡潔な答えが返ってきた。なるほど、そういうものがあるのか。

鍋に湯を沸かし、具材を投入した。だしの素も適当に入れた。具に火が通るまでの間にアジの干物を焼くことにした。いつもの朝食はアジの干物かシシャモと決まっていた。網をコンロに載せ、熱する。干物を手に持ち、またも考え込んだ。皮と身と、どっちの側から焼くべきなのか……。

まあいい。大勢に影響はないはずだ。二枚焼くので両方を試した。火加減は中火。わからないので間を取ったのだ。

御飯が炊けたので、しゃもじでかき回した。よしようまく炊けている。全自動のマイコン制御なので、失敗しようがないのだが。

ジャガイモが煮えたので、鍋に味噌を入れることにした。分量は……適当でいいか。お玉に取り、少しずつ鍋に溶かした。その都度味見をする。

判断がつかなかった。ただ、いつもの味と明らかにちがうのだけはわかった。それよりジャガイモが異様に多いのが気になった。二個は多過ぎたようである。おまけに揚げがくにゃくにゃで湯葉のようになっていた。しまったな、揚げはそれほど火を通す必要はないのだ。

七時少し前に厚子が起きてきた。「どう?」鍋をのぞき込む。「平気だよ」と何食わぬ顔で答えたら、一瞬息を止め、黙ったままテーブルで新聞を広げた。

「ねえ、ユウちゃん。株価が三ヶ月ぶりに一万六千円台に戻ったたって」

「ふうん」経済は無知なので曖昧《あいまい》に返事した。

昇太が起きてきた。厚子がトイレに行かせ、息子と並んで歯を磨いた。昨日までは自分がそうしていた。

出来上がった朝食をテーブルに並べた。まったく自信はないが、白い御飯があるのだからいざとなったら納豆と生卵で食べればいいと開き直ることにした。

親子三人での朝食が始まった。厚子は最初に味噌汁に口をつけると、「うん、おいしい」と微笑んで言った。「昇太、おいしいよね」続けて息子に聞く。

「おいしい」昇太が、アンパンマンふりかけをかけた御飯を頬張りながら言った。

裕輔は妻のやさしさに感謝した。初めて作った味噌汁は、全然おいしくなかったのだ。きっと、だしの素の量も味噌の入れ方もでたらめだ。おまけにアジの干物は焼き過ぎだった。それでいて皮に香ばしい焦げ目がないのだから、料理はミステリーである。

食べながら、だんだんへこんでいった。自分の供した料理がおいしくないというのは、身の置き場がない。世の女たちは、自分の料理に審判が下されることに、どうやって耐えているのだろう。

朝食を終えると、厚子は鏡台に向かって念入りに化粧を始めた。ＯＬ復帰ともなれば、ささっと済ませるわけにはいかないようだ。

裕輔は、幼稚園に行く昇太の身支度をした。肩掛け鞄《かばん》にハンカチやマグカップを詰め込んでやる。そのとき血の気がひいた。しまった。息子の弁当を作り忘れた――。膝《ひざ》が震えた。自分でも驚くほどうろたえた。

どうしようかと妻に相談すると、厚子は「あとで届ければいいじゃん」と実に冷静なサジェスチョンを与えてくれた。そうか。あわてて損をした。

先に厚子が家を出た。「いってらっしゃーい」玄関で息子と二人で見送った。

「ママ、どこ行くの？」昇太が指をくわえて聞く。「会社だよ」裕輔が答えた。

「パパの代わりに？」

「そう。パパの会社は倒産しました」

「トウサンって？」

「ずうっと夏休み」

「ふうん」不思議そうに父親を見上げていた。

八時半になり、息子の手を引いて幼稚園に向かった。同じ町内にあるので五分とかからない。途中、パン屋のおばさんから声をかけられた。

「あら、ショウちゃん。今日はパパと一緒でいいわねえ」

「あのね、パパの会社トウサンしたの」

「あらそう」

ちゃんと聞いていなかったのだろう。目を細めてうなずいていた。

幼稚園でも、先生から同じ言葉を言われた。

「パパの会社トウサンしたんだよ」

昇太が言い、周囲の大人がさっと顔色を変えた。「あら、そうなんですか、おほほ」

先生が頰をひきつらせ、しどろもどろになっている。

裕輔は案外平気だった。先生に昇太を預けると、「すいません。今日、弁当を作り忘れたので、あとで届けます」と告げ、ほかの母親たちにも如才なく挨拶することができた。

パパの会社トウサンしたの、か。帰り道、思い出し笑いした。子供は正直でいい。これで事情を説明しなくて済むという安堵感もあった。明日から、大手を振って息子の送迎ができる。

帰ってまず弁当を作った。御飯を小さな弁当箱に詰め、デンブとジャコを彩りに載せた。おかずは卵焼きと、冷凍庫にあったミニハンバーグ。どうせ昇太は食べないだろうなと思いつつ、青物が欲しかったのでブロッコリーを一房だけ塩茹でした。

なにやら達成感があった。アンパンマンのハンカチで包み、小走りに幼稚園まで届けに行った。

　そのあとは掃除と洗濯をした。始めると、意外と手間だった。とくに風呂掃除は肉体労働で、浴槽をスポンジでこすったら腰が痛くなってきた。スプレーして水で流すだけで汚れが落ちるという液体洗剤のCMはうそだと思った。ヌルヌルは残るのだ。洗濯は干すのが骨だった。腕が疲れるのである。バスタオルは物干し竿の場所をとるので可愛くなかった。シーツはもっと憎らしいことだろう。物への見方が少し変わった。テレビは興味が湧かないので、家事をこなしながらラジオを流していた。外国のポップスに合わせ、鼻歌を唄う。そういえば昨日会社が潰《つぶ》れたんだと、はたと気づく始末だった。ということは、自分は失業中ということになるのだが……。

　いいや、こうして働いているぞ。家事は立派な労働だ。鼻息荒く自答した。

　一人なので遠慮なくオナラをした。妻も昨日まではここでオナラをしていたはずだ。そう思ったら笑えた。厚子のやつめ。

　昼食は冷麦を茹でて食べた。分量がわからず二百グラム茹でたら、凄《すご》いことになってしまった。気合で胃袋に流し込んだ。

　厚子からメールがあり、夜は歓迎会で遅くなるとのことだった。よかった。家族的な職場のようだ。

　となると晩御飯は昇太と二人きりである。献立は何にすればいいのだろう。息子にリクエストを聞くにしても、こちらのレパートリーは極めて乏しい。

カレーにするか。安上がりだし。残っても冷凍にすればいいし。だいいち作り方が簡単だ。サイドメニューにスープとサラダを作って……。そうだ、昇太を迎えに行く前に料理の本を買いに行こう。裕輔は思わず手を打っていた。先は長いのだ。上達だってしたい。

なにやらウキウキする感じがあった。家にいるのはいい。普段なら得意先回りをしている時間なのだ。

リビングで寝転がり、大の字になった。

2

三日もすると、家事をする日常にすっかり慣れた。まだ手際が悪かったり、うまくいかなかったりはするのだが、家事にいそしむ自分に違和感がないのである。苦にもならなかった。むしろ楽しんでいるほどだ。

とりわけ闘志を燃やしたのは昇太の弁当作りだった。子供は気遣いをしない生き物なので、おいしくないと一口かじっただけで残す。案の定、初日のブロッコリーは小さな歯の跡がついていただけだった。ところが二日目、同じブロッコリーにマヨネーズをかけてやると、その部分だけかじっていた。作り手としては、「おおー」という感じだった。今日はマヨネーズを全体に薄く塗り、オーブンで表面をグリルしてやった。吉と出るか、凶と出るか、息子の帰りが待ち遠しいところである。

もうひとつ、味噌汁のおいしくない理由がわかった。灰汁《あく》を取っていなかったのだ。料理本を読んで知り、「ありゃりゃ」と顔をゆがめた。で、今朝は灰汁取り味噌汁を作った。厚子の様子をうかがうと、「ほほう」という顔で飲んでいた。

洗濯は、新たにアイロンがけに挑戦した。以前は、ワイシャツなどはクリーニングに出していたが、その代金二百五十円がもったいなく思えてきた。独身時代にズボンプレッサーなら使っていたが、アイロンは初体験である。

最初は自分のワイシャツで試した。台に載せて、スチーム式のアイロンを押し当てていく。シワシワだった面が平らにプレスされていくのは見ていて楽しかった。

しかし袖と襟は難関だった。ステッチ部分に逆に皺がついたり、折り目が二重になったり、要するに平面以外は熟練が必要なのである。

仕方がないので、ハンカチとか、枕カバーとか、そんなものばかりにアイロンをかけた。妻のブラウスもあったが、チャレンジしたい気持ちを堪《こら》えた。

さしてその必要もないジーンズにアイロンをかけているとき、電話が鳴った。出ると元の上司の山科だった。くせで「部長、どうも」と言ってしまった。

「湯村、どうしてる。元気か？」

「ええ、元気ですよ」裕輔が本当のことを答える。

「職探しはしてるのか」

「いいえ、してませんが」

「ああ、それでいい。焦ってつまらない会社に入ることはないしな。しばらくは休養するのもいいさ」

なんだか妙にやさしい口調だった。

「部長はどうなさってるんですか？」

「だから残務整理。毎日クライアント回りだ。おまえさんも、世話になった会社には挨拶状ぐらいは出しておけよ。この先また付き合いが生じるかもしれんしな」

「はい……」ところで何の用だろう。

「昨日、ナイス商事に挨拶に行ったら、大野専務が出てきてな、いろいろ話をしたわけだ。そしたら、やっこさんたち、新しくネットビジネスを立ち上げるのにスタッフを求めてるらしくてな。まあ、これも何かの縁だから、考えて欲しいって言うわけだ」

「はあ……」黙って聞いていた。

「早い話がスカウトなんだろうが、こっちだって簡単に尻尾《しっぽ》を振るわけにもいかんわな。条件だってあるし。そこで、改めて懇談の席を設けることになって、来週にでもまた行くことになったわけだ」

「そうですか。よかったですね」心から言った。明るい話はいい。

「で、湯村、興味はあるか」

「え？」裕輔は返答に詰まった。

「先方が欲しがってるのはスタッフ丸ごとだ。おれみたいなロートルが一人で行っても
しょうがねえしな。若い力が必要ってことよ」

「はあ……」つい気のない返事をしてしまう。

「なんだ。本当はあてでもあるのか」

「いいえ、そういうことはありません」

「じゃあ検討だけはしてみてくれよ」

「わかりました」

山科は鼻息荒く「人間《にんげん》いたるところに青山《あおやま》ありだ」と言い、電話を切った。

裕輔は、いや部長、それは読み方がちがいます。まず「アオヤマ」じゃなくて「セイザン」で……と言いそうになったが自重《じちょう》した。間違い続けて二十年以上の物件は、そっとしておいたほうがいい。

再就職か――。窓から外を眺め、一人つぶやいた。そういえばこの三日間、考えたことが一度もなかった。頭の中にあるのは、息子の弁当と、今夜の献立と、上手なアイロ

ンのかけ方だ。

ううむ。腕を組んだ。

まあ、でも、悩んでも仕方がない。妻が働きに出たので、誰かが家のことをしなければならないのだ。

テーブルクロスにアイロンをかけた。簡単な上に面積があるので、実にかけがいがあった。ラジオからはバート・バカラックの昔のヒット曲が流れている。


午後、昇太を幼稚園に迎えに行き、リビングで遊ばせていると、突如として「外で遊ぶ」と言い出した。そのとき、裕輔は婦人雑誌の料理ページを精読していた。

「公園で遊ぶ。アイちゃんと遊ぶ」昇太がミニカーを片手に仁王立ちした。ちなみに弁当のブロッコリーには歯形もついていなかった。

そうか、子供は外で遊ぶものだ。当たり前のことに気づいた。昨日も一昨日も、幼稚園に迎えに行き、帰りにスーパーに寄って買い物をし、そのまま自宅に連れ帰っていた。息子にだって予定があることを、考えもしなかった。

「わかった。行こう」

もうすぐ日が暮れそうな時間なので、フリースを着せた。自分はブルゾンに袖を通した。

砂遊びセットを持って、親子で近所の公園へ行った。スポーツセンター内にある市民の憩いの場だ。

「アイちゃーん」

「ショウちゃーん」

遊戯場で姿を認めるなり、二人は駆け寄って抱擁した。まるで恋人同士だ。キスしないかとはらはらした。

「ショウちゃん、お家《うち》で遊んでたの？」

「うん。パパの会社がトウサンしてね」

「それは幼稚園で三回聞いた」

裕輔は手で顔を覆った。

遊戯場にはほかにも子供たちが数人いた。いつも日暮れまで毎日一緒に遊ぶ仲間らしい。母親たちはすぐ隣の藤棚の下のベンチに溜まっていて、裕輔が視線を向けると揃って頭を下げてきた。

あ、どうも。口の形だけで言い、会釈する。

さて、どうしたものか。男一人が交ぜてもらうのは迷惑なような気がする。向こうも対応に困っている様子が雰囲気で伝わった。表情が硬いのだ。

〝会社が潰れて失業した湯村さん家《ち》のご主人〟という立場はきっと伝わっている。そのことに触れてはまずいと、気を遣わせてしまいそうだ。

どうしていいかわからず、付近をうろうろと歩き回った。銀杏《いちょう》の木の下に別のベンチがあったので、そこに腰を下ろすことにした。端に杖を持った老人がいる。目が合ったので軽くお辞儀をした。

「今日はお休みですか」老人が声をかけてきた。話し相手が欲しいらしい。

「いえ、そうじゃなくて……。会社が倒産して失業中です」この先も会うかもしれないので、裕輔は本当のことを言った。

老人の表情が曇った。「それは大変だねえ」絞り出すような声で言った。心から同情している様子である。

「くやしいだろうねえ。いや、わたしもね、四十歳のときに勤めてた会社が倒産してね、家族を抱えて路頭に迷いそうになったことがあるんだよ。こっちは少しも悪くないのに、経営陣が無能なばかりにね。リスクを分散しろって、我々が何度言っても、親会社にべったりで、あげく連鎖倒産だ」口角泡《こうかく》を飛ばしていた。「そうかい、そうかい。わかるよ、あなたのその無念は。でもくじけちゃだめだ。家族がいるんだから。あそこにいる坊やがお子さんかい。可愛いねえ。あの子のためにもあなたは頑張らなくちゃならない」

「はあ……」

「気を落とさないでね。苦あればらくあり。人間《にんげん》いたるところに……」

裕輔は思わず顔を上げた。

「青山《せいざん》ありだ」

ええと、「セイザン」はあってますが、「人間」のところは……。まあいいか。それにしても、一日に二度聞くとは。

その後、三十分にもわたって老人の訓話を聞かされることになった。男は苦難を乗り越えてこそ成長するものだと、色紙に書いて手渡しそうな勢いでまくし立てていた。裕輔は話をあわせるだけでくたびれてしまった。

午後五時の鐘が鳴り、スピーカーから『夕焼け小焼け』が流れた。「また明日ねー」子供たちが母親に手を引かれて散っていく。いい情景だなと思った。以前なら、会社で日報をつけているか、まだ営業の最中だ。

夕食はエビフライにした。揚げ物に挑戦したかったのだ。厚子からは帰るメールも届いている。

ブラックタイガーの皮をむき、背わたを取り、丸まらないよう切れ目を入れた。かぼちゃを薄く切り、ギンナンをあぶり、ブロッコリーを茹で、野菜類も下準備した。タルタルソースは市販品だが、ゆで卵を潰して混ぜ、マヨネーズも足した。昇太はきっとその方が好きだと思った。

コンソメスープはキャンベルの缶詰にした。塩と胡椒だけの味付けなんて、今の自分には無謀だと判断したのだ。

食事の支度をする間、昇太にはアンパンマンのビデオを見せておいた。一言も声を発せず、食い入るように見つめている。ただ、静か過ぎるのが気になって、一分毎《ごと》に振り返ってリビングの息子を確認する始末だった。

対面キッチンが欲しいものである。顔を上げるだけで子供の姿が見られると、安心して料理に向かえる。リフォームするといくらぐらいなのだろう。ついでにコンロを電磁式に替えたい。掃除がらくだし、ガス漏れの心配もない。

早速インターネットで調べよう。それで厚子に相談だ。

厚子は七時に帰ってきた。駅から電話をくれたので、その間にフライを揚げることが出来た。なるほど自分もそうすればよかったのかと、目から鱗《うろこ》が落ちた。

「おー、エビフライかあ。豪勢だなあ」妻がおやじみたいに相好《そうごう》をくずす。

三人で食卓を囲んだ。裕輔は少し緊張しながらエビフライをかじった。よかった。サクッと揚がっている。面倒がらずに油の温度を測った成果だ。

「おいしい。ユウちゃん、すごいじゃん」厚子が驚きの表情で褒めてくれた。お世辞抜きだと伝わった。

ひと手間加えたタルタルソースも好評だった。「おいしい」「おいしい」妻と息子からその言葉が上がるだけで、温かい気持ちになれた。裕輔はもう明日の晩御飯のことを考えていた。明日は中華にしよう。しゃきっとしたモヤシ炒めを作ってみたい。

「昇太。ブロッコリー、残さないで食べなさい」厚子が息子に言った。

「いーや」昇太は顔をしかめ、逆らった。でも二口かじった様子なので、完全拒否ではない。

夕食後は厚子が昇太を風呂に入れてくれた。その間、裕輔が食器の後片付けをした。自然とそういう役割分担になった。厚子は、「わたしがやる」とも「手伝おうか」とも言わなかった。裕輔には、その突き放した振る舞いがありがたかった。男が家事をすることに、いちいち気を遣って欲しくない。気を遣われると、同情されているようで、逆に負担を感じる。

夜、ベッドの中で厚子が不思議そうに聞いてきた。

「ところで、ユウちゃんさあ、わたしの会社のことちっとも聞かないね」

「うん、そうだね。そういえば聞いてないね」

裕輔が答え、大きなあくびをした。

「別にいいんだけどね、それで。ただ、男は女房が外で働くと、あれこれ気にならないのかなって思って……」

「そりゃあ気にならないことはないけど、仕事から帰って、『どうだった？』って聞かれても、返答に困るじゃん」

「うん、そうそう」

「話したいことがあれば、自分から話すだろうし」

「そう、そうなのよ」

厚子が、天井を見ながら大きくうなずいた。

「ユウちゃん……」続けてぽつりと言った。「わたしが以前あれこれ聞いたの、きっと面倒臭かったと思うけど、よく相手してくれたね」

「別に面倒でもなかったよ」眠りに入りかけの状態で答えた。

妻が鼻をひとつすする。「ねえ、しようか」いきなり言い出した。

裕輔は答えないで、寝返りを打った。

「ほらほら、夫婦の営みは大事ですぞ」男の声色で言い、抱きついてくる。

体をこそぐられて覚醒した。睡眠の天使が肩をすくめて去っていく。裕輔は仕方なく求めに応じることにした。

気乗りせず始めたセックスだが、途中からやけによくなった。積極的に愛撫する厚子が妙に淫靡《いんび》で、興奮してしまったのだ。気がつけば上に乗られていた。組み敷かれている感じだ。裕輔は、下のほうがいいかも、などということを思ってしまった。

## 3

翌朝は三十分早く起きて出汁巻き玉子を作った。我が家では一度も食卓に出たことがないメニューだ。料理本を見ているうちに作ってみたくなった。

出汁はゆうべのうちに用意しておいた。昆布と削り節で本格的にとった一番出汁だ。それに砂糖、塩、醤油少々を加え、卵を入れて混ぜる。卵汁ができたら、卵焼き用のフライパンをコンロに載せ、中火で油をひき、お玉を使って卵汁を流し入れていった。

ジュウッと音がして、卵の表面が焼ける。表面が半熟のうちに、箸を使って奥から手前に巻いていった。そして一旦向こうに押しやり、空いたスペースにまた油をひき、卵汁を追加投入する。

いい感じだった。半熟具合が我ながら素晴らしい。うっしっし。つい笑ってしまった。

そして息子の弁当用には、別ヴァージョンもこしらえた。塩茹でしたブロッコリーを中にはさんで、「ブロッコリー巻き」にしたのだ。しつこいパパと思われそうだ。

出汁巻き玉子は好評だった。厚子が「うむむ」と唸《うな》っていた。昇太はケチャップを要求したが、「なりません」と拒絶し、大根おろしで食べさせた。

「おいしいだろう?」

「うん、おいしい」父親の主張を認めた様子である。

「お弁当にも入れておいたからね」

「わーい」無邪気によろこんでいた。ふっ。何も知らないで。

　妻を送り出し、息子を幼稚園へ連れて行き、さて掃除を始めようかというとき、電話が鳴った。駅前の交番からだった。聞くと、厚子が警察官とトラブルを起こしたらしい。

「おたくの奥さんがね、踏み切りの遮断機をくぐって信号無視して、注意した警官に咬《か》みついたわけですよ」

　きっと〝馬鹿ポリ〟だ。妻が意地の悪い下級官吏と衝突したのだ。

「署まで連行する気はないので、ご主人、身柄を引き取りに来ていただけますか」

とくに緊迫した口調ではなかった。ちょっとした諍《いさか》いだろう。妻には気の強いところがある。

　自転車に乗って駅前交番に駆けつけると、厚子は椅子に座って腕時計を見つめ、貧乏ゆすりしていた。馬鹿ポリはその横で、憮然《ぶぜん》とした表情で突っ立っている。もう一人、生真面目そうな若い巡査がいて、両者をなだめている感じだった。

「ああ、よかった。ユウちゃん、ごめんね。手間を取らせて。話はついたから、あとはよろしくね」

厚子がバッグを抱えて立ち上がろうとする。

「こら、話なんかついてないぞ。ふざけたこと言ってるんじゃない」

馬鹿ポリが興奮した様子でまくし立てる。

「市民に向かってこらとは何だ。あんたは戦前の特高《とっこう》か」厚子は背筋を伸ばし、毅然《きぜん》と言い返した。「だいたい、権力を振りかざして市民にいやがらせをする性根が気に食わない。あんた、よほど家や職場で相手にされてないんでしょう」

「な、な……」馬鹿ポリが口をパクパクさせ、怒りに打ち震えている。

若い巡査が裕輔を部屋の隅まで引っ張り、小声で言った。

「要するに、踏み切りでの信号無視です。通常なら注意して終わりなんですが、おたくの奥さんが、うちの主任に向かって、『あんたが岡っ引き気取りの馬鹿ポリか』って言うものですから……」

「はあ、すいません」と裕輔。

「まあ、なんと言うか、気持ちもわからないでもないんですがね……」ここからいっそう小声になった。「うちの主任、注意するだけじゃなくて、長々と説教して解放しないから、踏み切り突破しても、結局、電車には乗れないんですよね」

「はあ」

「それで、日頃市民からは白い目を向けられてるわけでして……。今日も、奥さんの馬鹿ポリ発言に、拍手をする会社員や囃《はや》し立てる高校生が現れたりしたんですよね。それでうちの主任も意固地になって……」巡査は顔をゆがめ、鼻息だけで小さく笑った。「どうですかねえ、ご主人からうちの主任に頭を下げてもらえませんかねえ。それで終わりにしますから」

「わかりました」

裕輔は了承した。頭を下げるぐらいで丸く収まるのなら、易いものである。

馬鹿ポリに歩み寄り、頭を下げた。

「どうもすいません。えへへ」わざと卑屈に笑った。「以後、踏み切り信号は遵守させますので」平身低頭する。

「ちょっと、なんであなたが謝ってるのよ」厚子が色をなして言った。

「ほらほら、遅刻するよ」

「とっくに遅刻。それよりわたしはこの手のプチ権力者がね……」

「まあまあ、今日のところは」

腕を取って立たせ、交番の外に連れ出した。亭主の事を収めようとする姿勢に、馬鹿ポリも少しは面目を保った様子で、「以後気をつけるように」と鼻の穴を広げていた。

「一応、身分証を提示してください」巡査に言われ、裕輔は財布に入れてある免許証を提示した。

巡査が書類に名前や住所を書き写している。

「ご主人、職業は？」

「ええと、無職です」

「無職？」馬鹿ポリがうしろから口をはさんだ。「失業中ってこと？」

「ええ、まあ、会社が倒産しまして」頭を掻《か》く。

「ふん。それでカミさんもカリカリ来てるわけか」馬鹿ポリが顔をひきつらせて笑った。

裕輔は口をすぼめた。〝馬鹿〟と面罵《めんば》されるのは、そこまで悔しいことなのか。

厚子を駅で見送った。「馬鹿ポリめー」と罵《ののし》りつつ、妻はどこか爽快《そうかい》そうだった。そして自転車に跨《また》がり、家に帰ろうとしたら、先ほどの巡査が走って追いかけてきた。「ご主人、ご主人。すいません」今度は向こうが頭を下げている。

「うちの主任、さっきは大変失礼なことを言ってしまいました。失業中の方の気持ちを考えることもなく……」巡査はしきりに恐縮していた。「わたしたち官には不況というものがいまひとつ実感できないものですから、民間の方の苦労を他人事《ひとごと》のように思ってしまって……」

裕輔は黙って聞いていた。

「さきほどの主任の無神経な発言、どうか忘れてください」

巡査が、謝罪のお手本のような、実に申し訳なさそうな顔で言った。なかなかいい人のようである。

「会社が倒産しても、気を落とさないでくださいね。一刻も早く再就職先が見つかりますよう、僭越《せんえつ》ながら祈っております」帽子を取って一礼した。

ええと、そういう話なのか？　戸惑いつつ、つられて頭を下げた。

どういう感想を抱いていいのか、よくわからなかった。

家に帰って掃除をした。スーパーでカビキラーを買ってあったので、一度風呂場のカビを一掃することにした。

ゴム手袋をはめ、水泳用のゴーグルをかけ、換気扇を回し、部屋の窓も開け、空気の流れをよくした。強い薬剤なので、子供のいないときでないとできない。

カビの生えている箇所に噴霧したら、たちまち頭がくらくらした。急いでベランダに避難して、水で流すまでの数分間を待つことにした。ラジオからはカーペンターズのヒット曲が流れている。知っている曲なので一緒に唄った。

そのときケータイが鳴った。出ると、原田という元同僚だった。倒産した日に麻雀をやった仲だ。「最寄りの駅まで来ているので出てこないか」と沈んだ声で言った。

「駅なら、今さっき行ったばかりなんだけどね」

「なんだよ、忙しいのかよ」

「風呂場の掃除中」

「あとにしろよ。こうしてわざわざ会いに来たんだぞ」

アポもなしで来て、よくそういうことを……。しかし、かつての仕事仲間に帰れとも言えず、仕方なく出かけることにした。大急ぎで薬剤を流し、家を出る。

駅前の喫茶店で原田は待っていた。スーツにネクタイ姿だ。

「何よ、もう新しい仕事を見つけたの？」裕輔が聞くと、暗い顔で大きく息を吐き、

「そんなわけねえだろう」と口をとがらせた。

「そろそろ家に居場所がないんだよ。うちは子供が二人とも小学生だから、親が失業したことがわかるんだよ。学校から帰ってきて、おれが家にいると、途端に明るさが消えてな。顔色うかがって、そそくさと子供部屋に消えるのよ。そうなりゃあ、こっちもいられねえさ。近所の手前もある。それで朝からスーツ着て、忙しいふりして出かけるわけよ」

「どこへ」

「映画館とか、図書館とか。話し相手が欲しくなると、元同僚のところ」

原田は自嘲気味にふんと笑い、アイスコーヒーをストローで飲み干した。

「奥さんはどうなのよ」

「湯村。よく聞いてくれた。それが実によくできた女房でな。精一杯明るく振る舞うん

だよ。大丈夫、何とかなるわよ、とか言ってな」

「そう、よかったじゃん」

「それがおれにはつらいの。一家の主が何やってんだろうって」

いかにも苦しげに、喉元を掻きむしって訴える。原田が裕輔のことも知りたがるので、包み隠さず教えてやった。

「そうか。カミさんが働きに出たか。それでおまえは家事と育児の担当か。そりゃあ針のむしろだわな」

なにやら同情している口調だった。あ、いや、こっちは結構快適な毎日を……。

「男の沽券《こけん》にかかわるよな。仕事がないっていうのはよ。会社の倒産がこんなにみじめなものとは思ってもみなかったぜ」

反論しようかと思ったが、説明が面倒なのでやめた。

「ところであのヅラ社長、しっかり自分の財産は守ったみたいだな。総務のやつが言ってたぞ。会社名義だった別荘を、一月前に妻の名義に変えてたって」

「ふうん」

「おれ、追及してやろうかと思ってんだ。湯村、協力してくれないか」

「おれが？」

「いいじゃないか、暇なんだろう」

「でも、息子の幼稚園の送り迎えがあったり……。弁当も作ってるし」

「わかったよ。おれも言ってみただけ。潰れた会社が復活するわけでもないしな」

原田がグラスの氷を口に含み、バリバリと嚙み砕いた。

「あ、そうだ」裕輔は、昨日山科部長から電話があったことを思い出した。「そういえば、部長、ナイス商事からスカウトされてるみたいだね」

「いや、知らない。おれ初耳」

「新しいネットビジネスを立ち上げるためにスタッフが必要とかで……」

聞いたことをすべて教えてやった。隠すようなことでもないと思ったからだ。

「そうか、そういう話があるのか」

原田が身を乗り出した。彼にとっては一筋の光明《こうみょう》なのだろう。やる気があるなら自分から売り込めばいい。裕輔はやさしい気持ちだった。

原田はその後、元社長の悪口を散々並べ、実は庶務の玲子は専務の愛人だったという衝撃の事実を披露し、一時間ほどおしゃべりを繰り広げた。最後に、「悪いな。昼間一人でいると不安なんだよ」と淋しげな目で言い、軽く笑った。

「湯村、頑張ろうぜ」

「あ、ああ」

戸惑いながら、固い握手を交わした。コーヒー代は原田が払ってくれた。

午後は昇太を連れて公園に行った。ブロッコリー巻きは中身をそっくり残された。

遊戯場では昨日の老人がベンチにいて、目が合うと笑顔で手招きされた。仕方なく自分だけ行った。

「今日も来ると思ってね、こういうものを用意してきた」

老人が紙袋から一冊の本を取り出し、裕輔に手渡した。『逆境に打ち勝つ50の名言』という本だった。逆境かあ。表情を保つのに苦労した。

「わたしはもう何回も読んだから、あなたに進呈しよう。働いていた頃は、苦しくなるとこの本から勇気をもらったもんだ」

「はあ、そうですか」

「たとえば、この言葉」横からページをめくった。「一代でスエキチ・グループを築いた大内会長の言葉だ。《苦しいときこそ種を蒔《ま》け》。これはね、人は、苦しいときは目先の利益に走りがちだから、そういうときこそ先を見ろ、という教訓なんだね」

「はあ」

「実に素晴らしい言葉じゃないですか。あなたもね、失業は大きな痛手だと思うけど、今こそ先を見据えて活動するべきなんだよ。資格を取るとか、勉強をし直すとか。焦ってつまらない会社に入ることはない」

「……はい。そうですね」

「まあ、じっくり読んでください」

「ありがとうございます」

ううむ。明日からこの公園に来るのがつらくなりそうである。

逃げるようにして老人から離れた。遊びに夢中の昇太を横目に、今度は藤棚の下に行く。母親たちに一礼して、ベンチの隅に腰掛けようとしたら、アイちゃんのおかあさんから、「湯村さんの奥さん、お勤めなんですか?」と聞かれた。

「ええ、そうです。以前勤めていた会社に復職して」

「いいなあ、わたしもまたOLしたい」「スーツ着て出かけたい」「アフターファイブに飲み歩きたい」母親たちが口々に言う。

裕輔は曖昧に笑って聞いていた。当分主夫なのでよろしくお願いします、とでも言っておくべきか。迷っているところへ、アイちゃんが駆けてきた。

「ねえ、ママ。うちのパパの会社はいつトウサンするの?」

全員が凍りついた。アイちゃんの母親が顔をひきつらせる。「何言ってるのよ、あんた」目を吊り上げて叱《しか》りつけた。

「だってアイもパパと遊びたい」

「お休みの日に遊んでもらってるでしょ」

きつい口調に、アイちゃんがサイレンのように泣き出した。

裕輔はこの場にいるのが悪いような気がして、そそくさと移動した。さりとて行き場はない。ジャングルジムが空いていたので、上まで登った。てっぺんに腰掛け、公園を見渡す。三十代の男はきれいに自分一人だった。空ではカラスが呑気《のんき》に鳴いていた。

4

裕輔の料理の腕前は格段に進歩した。いわしの蒲焼、などというものが手早く作れてしまうのである。きんぴらごぼうも難なく出来た。昇太の弁当に入れたら、全部食べてくれた。なんと、我が息子の味覚は和風だったのか。ブロッコリーを醤油で煮しめることを本気で考えた。

厚子は会社員生活を満喫している様子だ。週末、接待ゴルフに行ってもいいかと聞くので、もちろんいいよと答えた。クラブすら握ったこともないのに、いい度胸である。いつぞやの一件に関しても、「あの馬鹿ポリ、もう踏み切りに立たなくなってやんの」とほくそ笑んでいた。基本的に外向的な性格のようである。もちろん、結婚前から知っていたのだが。裕輔はふと疑問を覚え、昇太を寝かせた後に聞いてみた。

「昇太を妊娠したとき、会社を辞めたじゃない。あれ、本当は続けたかったんじゃないの？」

「うん。できればね」厚子は即答した。

「どうして続けたいって言わなかったの？」

「ユウちゃんの実家の手前。お義母《かあ》さんに『厚子さん、仕事は辞めるのよね』って聞かれて。それがすごく無色透明で自然な言い方だったから、つい『はい』って答えちゃったの」

「うそ。そんなことがあったんだ」

おふくろめー。腹の中で文句を言った。

「でも、昇太と毎日一緒にいられてよかったよ。今じゃいい判断だったと思ってる」

厚子が涼しい目で言い、裕輔は感動した。

「じゃあわたしも聞くけど、ユウちゃん、サラリーマン生活、いやじゃなかった？」

「べつにそういうことはなかったけど」

「でも、なんか、今のほうが楽しそう」

「まあ、そうだけど、それは失業して気づいたことだから。おれって家にいるほうが向いてるかも。そんな感じ」

「毎朝、駅に行くとき、パン屋のおばさんに会うの。店の前で掃除してるから。でね、笑顔で挨拶を交わすんだけど、目に同情の色があるの。『大変ね』『くじけないでね』って顔に書いてある」

厚子が眉を八の字にして、吐息交じりに言った。

「そういうのなら、こっちのほうが凄い。なんたって『逆境に打ち勝つ50の名言』だから」

裕輔は公園であった出来事を話し、その本を見せた。「あはは」厚子が腹を抱えて笑う。

「そうか。我が夫婦は世間の誤解を浴びているのか」

「ジェンダーってしぶといんだよ」

そこへ電話が鳴った。誰だろうと思って出ると、実家の母だった。噂《うわさ》をすれば、である。「あのね、おねえちゃんに聞いたんだけどね……」母が切り出した。姉には会社が倒産したことを告げてあったので、それが伝わったのだろう。

「大変だったねえ。大丈夫？　無理しないようにね」

赤ちゃんの肌を撫《な》でるような声である。母はこの世の不況を呪《のろ》い、政治家を批判し、気落ちしてはいけないと息子を慰めた。そして「おとうさんと代わるからね」と、電話をバトンタッチした。

父と電話で話すことは、ほとんどない。月に一度は様子伺いの電話をかけているが、毎回話すのは母だ。不仲でもなんでもないが、父と息子とはそういうものだ。

「ああん」受話器の向こうで咳払いが聞こえた。「おう、裕輔か」無理矢理作ったような穏やかな声だった。

「災難だったな」

「うん、まあね」

「ハローワークには通ってるのか」

「ううん。失業保険の手続きに行ったきりだけど」

「そうか。通ってないか。まあ、焦ることはない。四十を過ぎると職探しも大変そうだが、おまえはまだ三十六だ。いくらだって見つかるさ」

「うん、そうだね」

「蓄えは、あるのか」

「多少はね」

「困ったら遠慮するな。おとうさんたちは気楽な年金生活だ。大金じゃなければいつでも都合はつく」

「うん、ありがとう」

少し間があいた。慣れない会話なので、互いが少し緊張している。

「長い人生にはこういうことだってある」父があらたまった口調で言った。「晴れの日ばかりではないし、嵐の夜だってある。ただし、やまない雨はない。いつか、おまえの空だって晴れる」

「ああ、そうだね」

　答えながらどぎまぎした。父は息子への励ましの言葉を一生懸命考え、今、それを伝えているのだ。親は子供のことを少しも理解していない。でも存在がありがたい。

「この国で飢えるということはないから、悲観するな。楽観してればいい。今の土地にこだわることもない。人間いたるところ……」

　うっ、またしても――。裕輔は身を硬くした。

「青山ありだ」

　安堵した。父は「ニンゲン」ではなく、「ジンカン」と正しく読んだ。「セイザン」も。さすがは元教員である。

「人間《じんかん》」は世の中のことで、「青山《せいざん》」は墓場のことだ。だから「人間到る処青山在り」とは、「世の中、どこにでも骨を埋める場所がある」という意味なのだ。

　父が「厚子さんと話したい」と言うので、妻に受話器を手渡した。

「いえいえ、そんな」厚子がしきりに恐縮している。「わたし、そろそろ外で働きたかったんです」背中を丸めて訴えかけていた。そして、電話が切れた後、「お義父《とう》さんに謝られちゃった」と肩をすくめた。

「苦労をかけて申し訳ない、せがれには必ず家長としての責任を全うさせる、だって」

「あ、そう」裕輔はつい吹き出してしまう。

「ユウちゃん、家長として責任とってよね」厚子は口の端を持ち上げ、笑った。

「ええ、とりますとも。弁当、君の分も作ろうか？」

「あ、作って。会社の近くの店、ランチタイムになるとどこも行列で、ゆっくり食べられないのよ」

「じゃあ、きんぴらごぼうと、とりの唐揚げと、出汁巻き玉子と、あとブロッコリーもあるから……」指折り数えた。「あ、そうだ。出汁がもう切れてたんだ。今夜のうちに作っておこうかな」裕輔が腰を上げた。

「ねえ、わたし、先に寝ていい。疲れちゃった」

「もちろん」

「ふふ。奥さんもらった気分。みんなに自慢したい」

厚子は「ふぁわわわ」と、インディアンのように手を口にあててあくびを響かせ、寝室へと消えていった。

キッチンに立つ。手鍋に水を入れ、洗った昆布を底に敷いた。

そこで電話が鳴る。今度は誰かいな。出ると山科部長だった。挨拶もそこそこに、興奮した様子でまくしたてた。

「夜遅くにすまん。緊急事態だ。原田のやつがな、おれがナイス商事からスカウトされ

ているこ とを嗅《か》ぎつけて、自分も売り込みに行きやがった」

あれま、そうですか。裕輔は眉をひそめた。こっちは「部長とコンタクトを取ってみれば」というつもりで教えたことなのに。

「それがな、第二営業の連中を引き連れての売り込みだ。要するに、おれたちとコンペしようって腹積もりだ」

「ええと……おれたち？」目を丸くした。

「至急対策を練る。明日の午前十時、新橋第一ホテルのカフェに集合だ。おれは五人連れて行く。その中におまえさんは入ってるが、原田は入っていない。おまえさん、めったなことでは怒らないだろう。そういうところ、おれは評価してるんだ」

「いや、あの……」

「条件は悪くないんだ。これまでの年収の八割を基本線として保証してくれるってよ。あとはおれたちの頑張り次第だ。業績を上げれば社内での独立もありうるし、そうなりゃあ、おれたちは経営陣だ。そうはないチャンスだ。これを逃すことはない。そうだろう」

「ええ、まあ、そうですが……」

「じゃあ明日な。おれはそのままナイス商事に押しかけようかとも思ってるんだ。だから背広着てシャキッとして来いよ」

まごついているうちに、電話を切られた。手にした受話器を見つめる。

ま、いいか。口の中でつぶやいた。明日起きて決めればいい。

お湯が沸いたので、中火にし、煮立ちかけたところで昆布を取り出した。続いて削り節を入れ、弱火で三分間煮込む。火を止め、顔に湯気を浴びた。うん、品よく香っている。

少し置いてから、用意したざるにペーパータオルを被せ、ボウルの上で漉《こ》した。あとは冷ましてからペットボトルに入れ、冷蔵庫に入れておけばいい。

ついでにおかずの下ごしらえもすることにした。ブロッコリーは日持ちしないから、買ったその日に塩茹でしたほうがいい。

冷蔵庫の中を漁っていたら、奥から板チョコが出てきた。カレーに入れるために買ったものだ。昇太に食べられないよう隠してあった。

ふとアイデアがひらめいた。ブロッコリーを塩茹でして、溶かしたチョコレートで丸ごとコーティングするのはどうだろう。

弁当箱を開け、チョコがあると思って目を輝かせる昇太。大口で頬張る。中身はブロッコリー。

うっしっし。裕輔は想像するだけで笑ってしまった。

やらない手はない。これは父と子の戦いなのだ。

もう一度鍋に湯を沸かし、そこに小さなボウルを浮かべた。割ったチョコレートを投入する。たちまちしんなりして溶け出した。

カカオのいい匂いが鼻をくすぐった。ここが青山でもいいと思った。

# 家《うち》においでよ

# 1

妻の仁美《ひとみ》が家を出たら、部屋が水を抜いたプールのように広くなった。自分の家具類を持って新居に移ったからだ。

その新居というのは、義父が所有する港区の投機用マンションで、なんでも高層階から東京タワーが見えるらしい。賃借人がタイミングよく転居したため、「別居するのならそこに住め」と実家が提供したのだ。七十平米を超える１ＬＤＫと、以前聞いたことがある。家賃は無料で給料が自由に使えることだし、仁美は思う存分インテリアに情熱を注いでいるにちがいない。きっと家具店のショールームのような、色や素材でトータルコーディネイトされた部屋に仕上がっているのだろう。仁美の職業は大手家電メーカー勤務のインダストリアル・デザイナーで、小洒落《こじゃれ》た掃除機や電子レンジを作っていた。

一方の田辺正春《まさはる》は、三十八歳の平凡な営業マンで、子供服をデパートに卸していた。仕事について、とくに語るべきことはない。バブル崩壊後の就職難で、なんとかもぐりこんだアパレル会社だ。

結婚したときは、「子供ができたら服が安く手に入るね」と二人で盛り上がっていたが、いつかは起業したいという仁美の希望で、ずるずると先送りされ、子供がいないまま別居の日を迎えることとなった。すぐに離婚の結論を出さなかったのは、「八年間も連れ添ったのだから少し冷却期間を置いたほうがいい」という周囲の説得によるものだ。浮気とか、暴力とか、経済破綻《はたん》とか、深刻な問題があったわけではないので、二人とも従うことにした。

ただ、それでも快く妻を送り出すという気分にはなれず、正春が二泊三日の出張に出かけたとき、荷物を運び出すことにしてもらった。すると律儀に、カーペットからマグカップに至るまで、自分が選んだ物はすべて持ち去られ、部屋は妙に反響のいいがらんどうと化していた。テレビやファックス付電話機は正春も費用を負担していたはずなのに……。もっとも冷蔵庫と洗濯機とベッドは置いていってくれたので、行って来いだと思うことにした。それらは、デザインにうるさい仁美のお眼鏡にかなわなかったのかもしれないが。

世田谷の経堂《きょうどう》、賃貸物件の六十五平米の２ＬＤＫは、寒いばかりである。リビングは何もなく、寝室は大きなダブルベッドがあるだけで、六畳の和室は物置と化している。

ともあれ、久し振りの一人暮らしが再開された。遠慮なく放つオナラがよく響く。トイレはドアを開けっ放しで用を足す。カーテンがないので、朝は早くに目が覚める——。

　別居して初めての土曜日、正春は生活道具を買いに行くことにした。ウイークデイは残業続きで寝に帰るだけだったが、冬の日差しが入り込むリビングでフローリングの床に腰を下ろしたら、さすがにカーテンとソファぐらいは欲しくなった。

　こだわりの逸品を選ぶつもりはないので、車で十分の大型スーパーへ行った。客の大半は家族連れで、子供たちがフロアを走り回っている。庶民的なものを嫌う仁美が、あまり近寄らなかった大型店だ。

　家具寝具フロアで、まずはカーテンから物色した。仁美がいたときは淡いグリーンのものだった。一緒に買いに行ったから、窓枠のサイズを告げて注文することは知っている。最近のマンションは、どれも日本間の既成寸法が通用しない。

　何色にしようかと思い、無難なベージュにした。壁が白で床が茶色なので、その中間がよかろうと判断したのだ。東南の角部屋のせいで窓が多く、遮光性の高い生地を選んだこともあって、全部で二十万円もしてしまった。

　次はカーペットだ。以前は白地にグリーンのドット柄のラグを敷いていた。見た目はいいのだが、仁美が汚れるのを気にして寝転がらせてくれないので不満に思っていた。

　あれこれ迷った末、アラベスク風の模様が入った、全体が深いエンジ色のカーペットにした。リビングは十畳程度の広さだが、全部に敷き詰める必要はないので二メートル四方のものを選んだ。値段は三万円。これはお買い得だと満足した。配達は共に一週間後の土曜日だ。

この二つを買うとすでに二時間が経過していて、正春は疲労を覚えた。立ちっ放しであったし、慣れない買い物で無意識に緊張していたのかもしれない。休憩を兼ねて遅い昼食をとることにした。最上階はレストラン街だ。

行ってみると、家族連れで満員だった。おまけに子供たちが騒々しい。ここには入っていけないな、と正春は吐息を漏らした。いい歳の男が、休みの日に一人で外食というのは恰好がつかない。そうか、これからは一人なのだ。自炊も考えないと――。炊飯器や鍋釜類も、仁美が持っていった。今は薬缶《やかん》があるぐらいだ。

空腹は我慢することにして、ひとつ下の階のキッチン用品売り場に行った。何を買えばいいのか見当もつかないが、とりあえず小ぶりのフライパンと片手鍋を買った。デザインが一目で気に入って紅茶ポットとカップのセットも買った。それらを両手に提げて、再び家具フロアに戻る。さて本日いちばんの買い物であるソファだが……。買うなら三人掛けの寝転がれるものがいい。これまであったのはイタリア製の高価な応接セットで、黒いレザー張りの洒落た外観だったが、背もたれが低くて好きではなかった。おまけに肘掛がステンレスパイプで頭を載せられなかった。

売り場には比較的安価な応接セットがいくつか展示されていたが、正春の食指《しょくし》が動くものはひとつもなかった。大型スーパーは、大型スーパーだ。商品はそれなりの客層に合わせてある。

急いで決めることもないと思い、ほかも見てみることにした。確か環七沿いに大きな家具チェーン店があったはずだ。

途中、見かけたラーメン屋で昼食を済ませ、その家具屋に行った。駐車場に車を停めて中に入る。品揃えの豊富さに驚いた。体育館のような広大で明るいフロアに各種家具が品よくレイアウトされている。正春はゆっくりと見て回った。気に入ったものは座ってクッションや肌触りを確認した。売り場には各メーカーのカタログもあったので、その場でぱらぱらとめくった。

そうか、カタログであらかじめ検討するという手もあったか——。早速収集すると、たちまち雑誌ほどの厚さになった。

フロアを一周したが、これはというソファは見つからなかった。いいものはあっても、さすがに高いのだ。予算は五万円程度を予定していた。さて、どうするか……。

正春は一度引き上げることにした。カタログもたくさん手に入れたことだし、どうせなら気に入ったものを選びたい。家具は一度買うと簡単に取替えはきかない。明日だってある。

せっかくなのでフロア照明をひとつ買った。シェード付のオーソドックスな電気スタンドだ。仁美は間接照明を好んだが、いずれもソリッドなデザインで温かみがなかった。電気スタンドを要所に置き、ウディ・アレンの映画に出てくるような暖色系のリビングにするのもいいかな、と思った。部屋はくつろげるのがいちばんだ。

帰りしな、書店でインテリア雑誌を何冊か買った。仁美が読んでいるのをのぞいたことはあるが、自分から手にするのは初めてだった。

夜は自宅近くのほっかほっか亭でトンカツ弁当を買い求め、雑誌を読みながらリビングで食べた。テレビがないので、ミニコンポでジャズを流した。雑誌は大いに参考になった。部屋が広くない場合は、ソファは全体が低く奥行きの小さいものを選ぶべきだということもわかった。

急いで買わなくてよかったと、正春は胸を撫で下ろした。やはり家具は慎重に選ぶべきなのだ。

明日はもう少し足を延ばしてみようと思った。予算は考え直してもいい。マンション購入資金にと貯めてあった金が数百万円ある。当面、使い道はない。

買ったばかりの電気スタンドが、殺風景な部屋を温かく照らしていた。

日曜日は新宿まで車を走らせ、丸井の「イン・ザ・ルーム」からスタートした。

客層はほとんどが若い夫婦かデート中のカップルで、男一人というのは少々居心地が悪かった。でもめげていられない。これはと思ったソファがあると、正春はメジャーを手にして、これを置いた場合の壁との距離などを測り、手帳にメモした。買う気充分に見えるのか、店員がしきりに声をかけてくる。こちらの希望を告げると、親身になって売り場を案内してくれた。

けれど、それでも決定打といえるソファは見つからない。心が揺さぶられる瞬間がないのだ。その代わりに、予定外のテーブルで一目惚れする品があった。一本脚の円卓で、カフェテーブルといわれるものである。展示で組み合わされた椅子もよかった。スチールパイプでクッション部分は鮮やかな赤だ。キッチンに置けそうなサイズで、これがあればもう床で食事をしなくて済む。

テーブルと椅子二脚を即決で買うことにした。全部で六万円もするが全然惜しくない。これが「出逢い」なんだよな――。正春はひとりごちた。願わくばソファもこういう出逢いに恵まれたいものだ。

今度の土曜日の配送を頼み、その足で伊勢丹と三越を回った。仕事で子供服売り場には通い慣れているが、家具フロアは初めてだった。

さすがに一流デパートだけあって、置いてあるのはブランド品ばかりだ。仁美なら目を輝かすのだろうが、値段に怖気《おじけ》づいてしまった。「一生モノよ」と言っては舶来品を買う仁美に、正春はいつも懐疑的だった。そのときの見立てが正しいとは限らない。愛を誓った二人が離婚してしまうように、人はいつか飽きるのだ。

無印良品にも行った。このブランドの「生成《きな》り信仰」はあまり好みではないが、家電製品はシンプルで好感が持てた。仁美はいつもライバル視していたものだ。カタログを手に入れ、後日必要なものを買い求めることにした。

続いて東急ハンズに行った。混雑していたが、よろず屋のような雰囲気に心が和《なご》んだ。こういう場所が自分のテリトリーのような気がする。二十代の独身時代を思い出した。就職と同時に神奈川の実家を出たとき、東急ハンズでシステム家具を買ったのだ。スチール製の棚やポールを組み合わせ、壁一面のラックを作ったっけ。そこにレコードやオーディオ機器を並べ……。

そうだ、今度実家に帰って、物置に眠っている三百枚のレコードを引き上げよう。「置き場所がない」と仁美に言われ、泣く泣く里子に出していたのだ。そうなるとレコード・プレーヤーも買わなくてはならない。CDの時代になって、いつのまにか手放していた。

買うもの、たくさんあるなあ——。なんだかうれしくなった。暮れのボーナスも手付かずで残っている。

ここでも気に入ったソファとは出逢えなかった。ただし落胆はない。レコードを収納するのにぴったりのラックを見つけたからだ。赤土色の木製で、値段の割に高級感がある。背が低くて窓を塞《ふさ》がないのもいい。ついでに本棚も二つまとめて注文することにした。ラックと同じ意匠で、奥行きが浅いので圧迫感がない。

これまでは本棚をリビングに置くことを許されなかった。正春の好むミステリー小説は背表紙のセンスが悪く、部屋のムードを壊すのだそうだ。仁美は壁一面のラックに、花瓶や置物と一緒に洋書を並べるのが好きだった。本もインテリアだったのだ。

昼食を食べ損ねたので、午後二時過ぎにマクドナルドでセットメニューを買い、車の中で済ませた。

やっぱり自炊はしたほうがいいかな――。正春はポテトを口に運びながら思った。結婚前は外食専門だったけれど、近所の定食屋に一人で入る勇気はもうない。通い慣れた蕎麦屋《そばや》もあるが、行けば妻が一緒でないことを心の中で詮索されるだろう。夫婦揃って近所付き合いはとくになかったが、これからはもっと縁遠くなりそうだ。

よし、炊飯器と電子レンジを買おう――。正春は無印良品に戻ることにした。今日もソファは見つかりそうにない。手ぶらじゃ淋しいし、何か持ち帰れる成果が欲しい。

結局、無印良品には一時間以上も長居し、食器や調理用具まで買ってしまった。車のトランクは荷物で一杯になり、疲れがどっと押し寄せてきた。

しかしその疲労感はどこか心地よかった。買い物は、案外楽しい。

## 2

次の土曜日が来て、注文してあった品物が朝から次々と届いた。まずはカーテンを吊るし、カーペットをリビングに敷く。これだけで部屋の反響が収まり、寒々しさが一掃された。続いて、レコードラックと本棚は向かい合う形で壁につけた。ラックの上に、昨日会社帰りに買った小さな鉢植えを三つ置くと、なんだか新しい友だちができたような気分になった。サボテンなんか森の小人みたいだ。

早速本棚に本を並べる。押入れにしまってあったミステリーの単行本と『レコード・コレクターズ』のバックナンバー十年分を収納したら、そこだけカラフルになり、部屋全体が生き生きとしてきた。早くレコードも入れたい。

テーブルと椅子はキッチンに置いた。これがジャストサイズで、正春は一人で小躍りしてしまった。真上にランプを吊るそう。テーブルクロスも買おう。夜はここで食事をとるのだ。

午後からは車を飛ばして川崎の実家へ行った。レコードを引き上げるためだ。出迎えた母親は浮かない表情をしていて、「まだ仲直りできないの？」と聞いてきた。

「さあ、むずかしいんじゃない」正春が他人事のように答える。あれこれ説得を試みる母親に曖昧な返事をし、物置からレコードの詰まった段ボール箱を運び出した。ついでに使っていない小型テレビと掃除機と古風な文机《ふづくえ》も手に入れた。この足でレコード・プレーヤーを買いに行こうと思った。ミニコンポにつないで、今夜、懐かしのレコード盤を聴くのだ。

「マー君、もう帰るの？　晩御飯、食べていけばいいじゃない」と母。

「まだ二時でしょう。いろいろ忙しいの」

正春は逃げるようにして実家を後にした。これで長男だから、心が痛む。

川崎駅前のヨドバシカメラでレコード・プレーヤーを物色した。思ったより種類が多く、決めるのは悩みどころだった。安い機種でもいいのだが、いっそのことハイグレードのオーディオセット一式を揃え、音楽鑑賞の趣味を復活させる手もある。

正春は中学時代からのロック少年で、若い頃は小遣いの大半をレコードやCDの購入に当てていた。CDだって五百枚はある。スペースの都合と仁美の牽制《けんせい》でミニコンポに甘んじてきたが、一度本格的に音を出してみたいという希望はある。

店員に相談し、レコードが三百枚あると告げると、「それじゃあちゃんとしたのを選んだほうがいいですよ」と言われた。店員のお勧めは国産の七万円もする品だ。

「一度には無理でも、徐々にグレードアップしたらどうですか？　次はスピーカー、その次はアンプ、最後はCDプレーヤーという具合に」

その言葉に心が揺れた。大人なんだし、収入もあるし、自分にはそれなりのオーディオ装置を揃える資格がある気がしてきた。とりあえず安物で間に合わせる案だけは消えた。

「何はさておき、試聴しましょう」との提案に従う。ジャズのピアノ演奏が売り場に流れた。

正春は感動した。まるで目の前で演奏されているかのようだ。これこれ、これだ。自分が長年憧《あこが》れていたのは、こういうサウンドで好きな音楽を聴くことだったのだ。気分がどんどん高揚していった。

試聴したシステムは総額で五十万円を超えるものだった。五十万円かあ。ため息が漏れる。でも、買えないわけではない。なんといってもマンションを買うつもりだった資金があるのだ。

「少し考えます」と言って店内を回った。薄型液晶テレビやサラウンド・システムを眺め、最先端機器の凄さに驚いた。知らない間に世の中はこうなっていたのか。照明を浴びてきらきらと輝いている。

自分は、ずっと会社と自宅を往復する生活を送ってきた。いつかマンションを買おうと貯蓄に励んできた。たまの贅沢をしても、それは夫婦での外食だったり、海外旅行だったりと、過去に消えていくものだった。日々の暮らしにはいつもストイックだった。

仁美は好きなインテリアに囲まれていたかもしれないが、正春はそうではなかった。自分は、好きな本やCDやレコードに囲まれて日常を送りたかったのだ。

フロアの隅にオーディオラックのコーナーを見つけた。その中のひとつに一目惚れした。堅牢そうな木の板の段を黒いポールで支えるものだ。これにオーディオ機器を収め、部屋に置くことを想像した。

値札を見ると八万円もした。やはりいいものは高い。

ひとつ深呼吸した。買うか、一式――。

自分はゴルフもしないし競輪競馬もやらない。酒とマージャンは付き合い程度だ。それで節約できた金は百万や二百万ではきかないはずだ。

早足でオーディオ売り場に戻り、さっきの店員をつかまえた。欲しいラックがあることを告げ、それも含めて全部でいくらにしてくれるかと聞いた。

値札より三万円ほどさらに安くしてくれた。さすがは量販店である。

「買います」正春は力強く言っていた。あーあ、買っちゃった。心の中で別の自分がからかっている。

レコード・プレーヤーだけ在庫があったので持ち帰ることができた。あとは最短で火曜日の午前中に届く。何か理由をつけて午後出勤にすることに決めた。週末まで待ちきれないのだ。

猛然とレコードが聴きたくなり、家に帰ることにした。ポリスの『シンクロニシティー』を、何年ぶりかでターンテーブルに載せるのだ。

途中、スーパーに寄って食材をあれこれと惣菜のトンカツを買った。カツ丼を作ろうと思った。今週、取扱説明書を頼りに御飯の炊き方を覚えたら、一人での生活に自信が湧いた。食事をどこでとるか、もう悩まなくて済む。

その夜は一晩中、レコードを聴いて過ごした。正春は懐かしくて涙が出そうになった。歌詞カードを頼りにジャーニーを何曲か唄った。心弾む土曜の夜だった。

日曜日は渋谷と代官山の家具店を見て回った。相変わらずこれはというソファは見つからなかったが、探すこと自体が楽しくて少しも苦ではなかった。

キッチンのテーブル用に使える電気スタンドを見つけ、購入した。深海魚の自前のランプのように、弧を描いて垂れ下がって照らすタイプのものだ。

和室を何とかしたいので、行灯《あんどん》のような直置きの照明も買った。低いガラステーブルも買った。高さ百センチぐらいの低い本棚も見つけ、二つまとめて買った。これですべての本を収納できそうだ。

この土日だけで七十万円も使ってしまったが、疚《やま》しい気持ちはほとんどなかった。欲しいものを買い揃えたら車を売ろうと決意したからだ。三年落ちのフォルクス・ワーゲン・ゴルフだから、八十万円は値がつくはずだ。おまけに月三万円の駐車場代が浮く。どうせ出かけるところはない。家にいるのが楽しいのだ。

その日は仕事が終わると、同僚の酒井《さかい》から飲みに誘われた。

「うん？　ちょっとやめとくわ。読みかけの本があるし」

正春は首をすくめて断った。今はあまり外で遊びたい心境ではない。

「たまにはいいだろう。おまえ、ここのところ毎日寄り道なしじゃないか。どうせ帰っても一人なんだろう？　カミさんが持ち出したから家具だってないって、前に言ってたじゃないか」

酒井は不満げだった。この男は酒もマージャンも大好きだ。

「最近、少しずつ買い足してはいるんだよ。ソファはまだだけど、テーブルとか、ラックとかな」

「おーおー、いよいよ田辺の単身生活も本格化の一途か。まさか自炊までしているとは言うなよな」

「いや、実はしてるんだけど……」

「マジかよ」酒井が目をむいた。「飯とか炊いてるわけ？　おまえが？」

「悪いかよ」

「いや、悪くはないけど……。なんか、わびしいって言うか……」

「男三十八歳、外食のほうがわびしいだろう。味噌汁作ったり、魚を焼いたり、そういうのって結構豊かな気分になれるものだぜ」

　正春があしらう調子で言い、帰り支度をする。酒井がなおも不満そうなので、本当のことを教えてやることにした。

「実はオーディオセットを一式新しくしたんだよ。ついでにレコード・プレーヤーも十年振りに買ってな。実家から三百枚のレコードを引き上げたら、懐かしくて毎晩夢中で聴き直しているわけ」

「ふうん。いいな、一人暮らしの特権か」首をぽりぽりと掻いている。

「だろう？　うちのマンション、防音だけはしっかりしているから、少々ボリュームを上げても平気なんだな。昔は気づかなかったシンバルの音とか聴こえたりして、これがうれしいわけ」

「おれも行っていいか」と酒井。

「うちへ？」正春は言葉に詰まった。「いや、まあ、いいけど……」

「途中、ビールと焼き鳥でも買って、おまえん家《ち》で飲もう」

「なんか学生みたいだな」

苦笑してコートを着た。気の置けない同期入社だし、帰る方向は一緒だし、とくに断る理由はない。二人連れ立って会社を出た。二月の寒風がビルの谷間を吹き抜けていく。

小田急線の経堂駅で下車し、駅前のスーパーで食料品を調達した。焼き鳥や刺身の盛り合わせだ。「店で飲むより安上がりだから奮発しよう」と、酒井が大トロの切り身も買った。

歩いて五分のマンションに到着する。部屋に入り、照明をつけると、酒井が「おお」と感嘆の声を上げた。

「なんだ、おまえ。ちゃんと暮らしてるじゃないか。おれはてっきり女房に逃げられて荒《すさ》んだ毎日を送っているものと思ってたぞ」

「ほざいてろ」

「へー。いいね、電気スタンドで部屋を照らすっていうのも。結構趣味いいじゃん」シェードを指でつついて言った。

「まだソファがないから床で我慢してくれ」正春はクッションを差し出した。

「充分、充分」

「あちこちで探し回ってるんだけど、気に入ったのがなかなか見つからなくてな」

「だから充分だって」

酒井が早速オーディオセットの前まで行き、のぞき込んだ。「ふうん、なるほどね」

続いて膝をついたままラックのところへ移動し、レコードをチェックした。

「おい、トーキング・ヘッズがあるじゃないか。ドナルド・フェイゲンも。ひえーっ。ラヴァーボーイの『ゲット・ラッキー』だって。おれらが中一のときの一発屋だろう」

「なんだ、おまえも知ってるのか」

「当たり前だ。ラジオにかじりついてたよ。聴かせろ、聴かせろ」

酒井がせがむので、オーディオ装置に電源を入れ、レコードをかけてやった。「おおー。懐かしー」顔をくしゃくしゃにしてよろこんでいる。その間に、正春は日本酒を熱《あっ》燗《かん》にして惣菜を皿に盛った。リビングの、買ったばかりの低いガラステーブルに並べる。

「いいね、いいね。これからはここで飲み会をやろう。木田や加藤も誘ってよォ。あいつら、同じ沿線だし」

「ふふ。いいけど」

レコードを聴きながら、おしゃべりをした。酒井が意外に音楽通なのには驚いた。ロック談義は過去にもあったが、マニアックな分野にまでは及んでいなかった。

「おまえ、レコードはどうしてるんだ」正春が聞く。

「そんなもの、庭のプレハブ式物置の中よ。置き場所なんかあるわけがない」

酒井はさらに郊外の新興住宅地に一戸建てを買っていた。小学生と幼稚園の子供がいて、ローン返済と子育てに追われている。

「田辺はいいなあ。自分の部屋があって」酒井が両足を投げ出して言った。

「馬鹿言え。わびしい一人暮らしよ」

「おい。うちにあるレコード、今度持ってくるから聴かせろよ。ユーリズミックスとか、ニュー・オーダーとか」

「おっ。おまえ、そっちの趣味か」

「いろいろあるんだよ。スクリッティ・ポリッティなんかも好きだったなあ」

「あるぞ、それ」

「ほんとに？」酒井が色めき立った。「どこだ、どこだ」

正春がラックから取り出し、ターンテーブルに載せた。

「おー、スクリッティ・ポリッティってこんなにいい音だったのか」酒井が感動している。

「だろう？　おれたちが昔聴いてた装置なんて、家庭用の安いシステムコンポだったじゃないか。つまり、二十数年のときを経て、初めてレコードを本来の音で聴いてるわけ。だからここんところ、おれは音楽鑑賞に夢中なんだよ」

「いいなあ」酒井が子供のようにうらやましがっている。

日本酒を焼酎に切り替え、お湯割りにして飲んだ。会社の話以外で同僚とこれだけ盛り上がったのは初めてだった。音楽雑誌のバックナンバーをめくっては「これ持ってる、持ってる」と昔話に花が咲いた。

酒井は十二時近くまでいて、終電で帰っていった。

翌々日には、本当に自分のレコードを携えて出社してきた。

3

ソファ探しは依然として続いていた。正春は、インターネットでオークション・サイトを見るまでになっていたが、やはり実物を吟味したいので、暇を見つけては都内の家具店に足を運んだ。

その間にCDが増えた。元々あった音楽鑑賞の趣味に火がついてしまい、八〇年代ロックの再発盤を次々と購入したのである。CDプレーヤーも高級機に変わったので、どれもが新鮮に聴こえた。リマスター盤なんて、音の粒立ちまでわかるほどだ。

「くっそー。おれもオーディオルームが欲しいよお」

酒井は週に三回も遊びに来ていた。同年代の木田と加藤も訪れ、部屋の趣味のよさを褒め、オーディオに聴き惚れていた。

「今度、うちに余ってるコタツを寄付するから、和室でマージャンやろうな」

酒井が提案し、いずれも妻子持ちの木田と加藤が賛成した。もちろん正春にも異存はない。なんだか同級生の下宿を溜まり場にする学生のようである。

そして、ロックに再び目覚めると、今度はホームシアターの装置が欲しくなった。近年は音楽物のDVDがやたらと充実しているからである。実家から持ってきた14インチのブラウン管テレビでは、何を見てもしょぼく感じる。タワーレコードの大型モニターで観て度肝を抜かれた『ライヴエイド』のDVDが、家に持ち帰ったらただのニュース映像みたいだったときは心底落胆した。スクリーンに映すプロジェクターは大袈裟《おおげさ》にしても、薄型大画面テレビとサラウンドシステムぐらいは欲しい。

カタログを集め、専門誌を読み漁ると、音楽と映画好きの自分にはプラズマより液晶テレビが向いていることがわかった。画面サイズは部屋が狭いので37インチが妥当なところだ。サラウンドはフロントスピーカーだけで賄《まかな》えるシンプルなタイプがいい。家電量販店で値段を聞いてみたら、精一杯値引きして合計六十万円であった。さすがに即決はできない。

会社で酒井に相談すると、「田辺。それ買ってくれ」と手を合わせて拝まれた。

「おまえ、何か勘違いしてるんじゃないのか。我が家のシステムだぞ」

正春は眉をひそめた。こいつはすっかりアフターファイブの居候だ。

「おれはそれで黒澤映画を観直《みなお》したい。『七人の侍』を心行くまで鑑賞したい」

酒井に腕を揺すられる。確かに黒澤映画は自分も観直したい。

「おれはレッド・ツェッペリンのDVDを観たい。一昨年出た二枚組のやつ」木田が横から口をはさんだ。

「おれは『ゴッドファーザー』三部作をすべて観たい」加藤も話に加わった。

三人に囲まれ、「頼むよ、田辺」と口々にくどかれる。つつかれて揺すられているうちに、なんとなく買ってもいい心境になってきた。

「じゃあ気持ちだけでもカンパしろよ」と正春。

「それは無理」間髪を容れずに三人が首を横に振った。「おれら家のローンはあるし、子供の教育費はかかるし……」

「汚い連中め」

正春がにらみつける。でも、腹が立つより笑いたい気持ちのほうが大きかった。この男たちは、会社帰り、正春のマンションに寄ることが日々の娯楽なのだ。

「よしわかった。田辺、おまえ、車を手放すとか言ってたよな。おれの大学の後輩に中古車販売業者がいるから、ワーゲン・ゴルフを相場より高く買ってもらおう。それならいいだろう？」

酒井が肩に手を回して言った。

「二、三万上積みするだけじゃ話にならないぞ」と正春。

「任せとけ。十万はイロを付けさせる」酒井は真面目な顔で自分の胸をたたいた。

そしてその日のうちに後輩と連絡を取ると、夜には自宅まで一緒に査定にやって来て、本当に相場より十万円以上高い金額で引き取ってくれることになった。オプションで付けたカーナビが高ポイントを稼いだらしい。正春は事の成り行きに呆気《あっけ》に取られた。

「ほら、おれも付き合うから明日買いに行こうぜ。週末には黒澤映画鑑賞会だ」

酒井に肩をたたかれ、苦笑するしかなかった。

しかし心はふくらんだ。サラリーマンの憧れ、大画面テレビとサラウンドシステムが、我が家に導入されるのだ。


正春の部屋は本格的に「男の隠れ家」の様相を呈してきた。リビングに鎮座するのは最新のオーディオ機器とホームシアター・システム、壁一面には本とＣＤとレコード、六畳の和室はマージャン用のコタツと書き物用の文机がある。寝室は手付かずだが、ベッドカバーをダーク系に替えただけで雰囲気が一変した。白系統だと汚れが目立つから嫌っただけなのに。

さらには、好きなミュージシャンのポスターを買ってきて、フレームに入れて空いている壁に飾った。ジミ・ヘンドリクスやボブ・ディランの肖像写真だ。仁美がいたら目を吊り上げて却下することだろう。調子に乗って松田優作のポスターも掲げた。

「和むなあ、この部屋」

酒井たちは完全な常連と化した。ネオン街で遊ぶよりはるかに経済的なので、酒や食い物はすべて彼らの持ち込みだ。依然としてソファは未購入だが、木田がホットカーペットを、加藤が座椅子を四人分寄贈してくれた。いずれも自宅で不用になったものだ。大型液晶テレビで観る黒澤映画には、全員が激しく感動した。考えてみれば、『七人の侍』にせよ『用心棒』にせよ、正春の世代は映画館で観たことがない。レコードもそうだったが、大人になって経済的に余裕ができ、初めて作品のクオリティにふさわしい環境で鑑賞することができたのだ。

酒井が、焼酎のお湯割りを飲みながらしみじみと言った。

「おれ、思うんだけど、男が自分の部屋を持てる時期って、金のない独身生活時代までじゃないか。でもな、本当に欲しいのは三十を過ぎてからなんだよな。ＣＤやＤＶＤならいくらでも買える。オーディオセットも高いけどなんとかなる。けれどそのときは自分の部屋がない……」

「まったくだ。おれなんかＣＤを買っても聴けるのは車の中だけだぜ」

「まだまし。おれなんか通勤中のｉＰｏｄだけ。車の中でロックをかけると子供たちがうるさがる」

木田と加藤がため息交じりに同調する。

「おまえら家長だろう。家も買ったし、書斎ぐらい確保できないのか。女房にびしっと言ってやれよ」正春が焚《た》きつけた。

「馬鹿言え。3LDKで何ができる。ギターだって弾けないんだぞ」

「うちは4LDKだけど、和室は来客用とかいって本棚も置かせてもらえない」

「要するにサラリーマンの大半は給料の運搬人よ。ヒルズ族なんてのは殺してやりたい」


憎々しげに言うので、正春は吹き出してしまった。

「ところで田辺ん家《ち》のカミさん、帰ってくる気配はなしか」と酒井。

「ないんじゃない」肩をすくめて返事をした。

「おれ、立ち入っちゃ悪いと思って聞かなかったけど、別居の原因は何なのよ」

「さあ、おれにもよくわからない」

「他人事みたいに」酒井が鼻に皺を寄せた。

「たぶん好きなものがちがったんだと思うんだけどね。半身浴とかさ」

「わかる、わかる。うちも女房が半身浴派でな。おれは熱い湯船に肩まで浸かりたいんだけど、二種類の湯は沸かせないって、無理矢理付き合わされてる」

木田が口をへの字にしてうなずいている。

「ホームパーティーも、実を言うと苦痛だったかな」正春が伸びをして言った。「月に一度は女房が友だち夫婦を招くわけ。おれ、結婚してからわかったんだけど、本当は社交嫌いでな。くたびれちまうんだ」

「うちもだな。カミさんが、子供を実家に預けてワインパーティーとかやりたがるんだけど、おれには窮屈なだけでさ。休日の夜ぐらいテレビを観てごろごろしたいね」

加藤が床に寝そべって言った。

「女はホームパーティーが好きなんだよ。だから勢いインテリアが来客用になるわけ。この部屋のいいところはよそ行きの部分が一切ないところだね。ラックに収まりきらない雑誌が床に積んであるとかさ。気楽なわけよ」

酒井が、その雑誌を引き寄せ枕代わりにした。

「ちなみに、これはホームパーティーにはならないわけ?」と木田。

「なるか、こんなもの。帰宅拒否症の野郎どもの集いだろう」

正春が吐き捨てると、残りの三人が体を揺すって笑った。

「でもさあ、好きなものがちがうってことは、女房もおれの趣味や性癖にずっと違和感を覚えていたんだろうな」天井を見て言った。

「おお、客観的なやつ。田辺、心当たりでもあるのかよ」

「早食いを非難されたことはある」

「はは。きっと、そんなものだろうな。おれも新婚時代、台所で歯を磨くのは止めてくれって百回ぐらい言われたもんだ。続けてたら離婚されたかもしれない」

「夫婦も他人ってことさ」

加藤が冷静なことを言い、みんなで黙った。三十代後半の男たちが四人、思い思いの姿勢で床に転がっている。

夫婦も他人、か。吐息をつき、目を閉じた。

そういえば仁美は今、どうしているのだろう――。頭にふと妻の顔が浮かび、これまで考えもしなかったことに正春は啞然《あぜん》とした。

連絡は一切取り合っていない。それをとくに気にしていなかった。落ち込んでもいない。

心の中で唸った。妻が家を出て、すでに一月《ひとつき》を過ぎている。

4

正春のソファ選びに光明《こうみよう》が差した。営業の最中、目黒通りに中古の家具店が軒を連ねる一角を発見したからだ。時間がなくてのぞけなかったが、ウインドウ越しに見るだけでも洒落た感じが伝わってきた。会社の女の子に聞くと、今流行《はや》りのエリアで、使い込んで味の出た家具類がたくさん置いてあるらしい。早速、土曜日に行くことにした。車がないので足はタクシーだ。

訪れてみると、確かにいいものが揃っていた。心が弾んだのは、それらが洒落たディスプレイではなく、倉庫のように詰め込んであるところだ。まるで宝探しをするような気分である。

一軒目の店で、早くも候補の品が見つかった。こげ茶色のレザーがいい具合に剝《は》げて、着古した革ジャンの風情《ふぜい》がある。当初思い描いていたウディ・アレンの映画に出てきそうなソファだ。値段は十万円と張るが、ここまでくるとさほど気にならなくなってきた。

そして二軒目でとうとう「出逢い」があった。それは真っ赤なレザーのソファで、意表を衝く色遣いが正春の心を捉えた。ポップでかっこいいのである。おまけに採寸したところ部屋にぴったりで、さらには、三人掛けと一人掛けがセットで出ているのも貴重だった。値段はふたつで八万円。長椅子のほうに寝転がってみると、自分の身長にもジャストサイズだ。

赤か。男で赤というのは勇気がいるなあ……。

でも、キッチンの椅子がすでに赤色だ。とくに浮いてはいない。

「それ、今週入った品です。代官山のカフェの模様替えで出たもので、お買い得ですよ」

よほど気に入った顔に見えたのか、女の店員が声をかけてきた。

「これ、派手じゃないですかね」正春が聞く。

「そんなことないですよ。茶系統の家具とコーディネイトすれば、それほど自己主張はしないはずです」

腕組みをし、考え込む。茶系統か。まさに今の自分の部屋がそうだ。

「わたしの予想では、今日明日で売れちゃうと思います」店員がいたずらっぽく笑った。

「買います」

正春は、この一月で何度言ったかわからない台詞《せりふ》を発した。この出逢いを逃したら、絶対に後悔する気がしたのだ。

現品限りの個人商店だけあって、午後にも搬入してくれるとのことであった。

やった。これでマイルームの完成だ。一人小さくガッツポーズをした。理想の部屋が、今日出来上がるのだ。


週が明けると、自分から酒井たちを誘った。三人とも赤いソファに目を丸くし、そののち笑った。

「いいじゃん、いいじゃん。おまえ、インテリアのセンスいいのかもな」酒井が褒めてくれた。

「うん。いい。おれらだったら無難な色を選ぶだろうな。黒とか、グレーとか」

「そう。赤がこんなにいいとは思わなかった」

木田と加藤も感心している。お世辞には聞こえなかったので、正春は心からうれしくなった。いっそのことインテリア雑誌の取材でも受けたいくらいだ。

この夜は出前のピザとチキンをとり、ワインを飲んだ。映画はTSUTAYAで借りてきた『レイジング・ブル』だ。

「やっぱり、スコセッシとデ・ニーロのコンビは最高だよなあ」

「役作りで体重を二十キロも増減させるんだから、デ・ニーロもいかれてるよなあ」

観終わって、口々に興奮を語り合う。午後十時を過ぎて、三人が帰っていった。

正春は風呂にお湯を溜め、熱い湯船に肩まで浸かった。仁美が出て行ってからは、ずっと全身浴だ。

そしてソファに寝転がり、音楽を流しながら本を読んでいたら、電話が鳴った。壁の時計を見ると、午後十一時を回っていた。

誰だろうと思って出ると、酒井だった。

「あのさあ、悪いんだけど、これからもう一度おまえの家に行ってもいいか」なにやら深刻そうな声を発する。

「なんだ、どうかしたのか」

「とにかく行っていいか。時間はとらせない。玄関先で五分だけでもいいんだ。タクシーを飛ばして三十分で行く」

酒井はわけのわからないことを言った。

「どういうことよ。ちゃんと説明しろよ」

「詳しいことはあとだ。とにかく、行くから」

電話を切られた。正春は眉を寄せ、しばし立ち尽くした。

なんだろう。金を貸してくれとか、そういう話だろうか。いや、それなら急ぐことでもない。そもそも酒井はどこからかけてきたのか。

考えてもわかるわけはないが、楽しい話でなさそうなのは確かなようだ。酒井の口調は暗く沈んでいた。


果たして三十分後にマンションのエントランスからのチャイムが鳴った。酒井であることを確認して、建物の中に通してやる。一分後、今度はドアホンが鳴る。パジャマ姿のまま玄関を開けると、顔をこわばらせた酒井と一人の女が立っていた。

「すまないな。こいつ、女房の順子《じゅんこ》だ。会ったことあるよな。といっても結婚式のときだけだけど」

酒井が声をひそめて言う。その妻は青ざめた表情をして、口を固く結んでいた。目を合わせようとはしない。

「ええと……どうも」

正春はとりあえず頭を下げた。

「順子。ほら、同期の田辺だ。これで信じたか。おれはこいつのうちに邪魔してたんだ」酒井は妻に向かってささやいた。「今夜も、先週の金曜日も、水曜日も。詳しく憶えてないけど、その前の金曜日も」

酒井の妻は涙目だ。ついさっきまで夫婦喧嘩をしていたらしいことが、ありありとわかった。

「よし、ここまで来たんだから、中も見ていこう。田辺、すまない。ちょっとだけ上げてくれ」

「ああ、いいけど……」

気圧《けお》された形で招き入れる。酒井が妻の腕を取って廊下を歩いた。妻はサンダルを弾き上げ、つんのめるような形で引っ張られていった。

一番奥のリビングに入る。「ほら、この部屋にさっきまでいたんだ。順子、よく見ろ。すげえだろう。最新のオーディオがあって、37インチの液晶テレビがあって、サラウンドシステムまであって」酒井が一気にまくしたてた。「家具だって、照明だって、洒落てるだろう。独身者の憧れの部屋だよ。ちょっと狭いところがまたいい。なんでもすぐに手が届く。おれはここにいると、若かった頃を思い出してな、学生に戻ったような気がして、楽しくて、うれしくて、それで毎晩のように押しかけたわけだ」

酒井の妻は唇を震わせていた。泣くのを懸命に堪《こら》えているといった感じだ。

「田辺、すまない。おれも図々しかった」酒井が正春に向かって頭を下げた。

「何を言ってるんだ。おれは平気だぞ。だいいち、今夜はおれが誘ったんだろう」正春はあわててかぶりを振った。

「そういうことだ。ちゃんと説明しなかったおれがいちばん悪かった」酒井が妻の背中を押す。「下で待っててくれ」

酒井の妻は、手を前で組むと、髪を垂らして頭を下げた。最後まで言葉を発することなく、廊下を駆けていった。

酒井が荒い息を吐き、髪を掻きむしる。「悪い。お察しの通り夫婦喧嘩だ。みっともないところを見せちまった」目をしばたたかせ、言葉を続けた。「おれが会社帰りに経堂の駅で途中下車するのを、何度も近所の主婦に見られてな、それが女房にも伝わった。噂話は面白いほどいい。若い女と駅前スーパーで買い物をしていたとか、そういう根も葉もない尾ひれがついた。で、今日、帰るなり詰問されたわけだ。女房も疑心暗鬼に駆られてたから、ちょっとした精神的パニックになったらしい」

「ああ、そうか……」

「何を言っても信じない。いい大人が同僚の部屋で何をするのか、女同士じゃあるまいし、毎晩おしゃべりして楽しいのか、音楽を聴いてたとか、映画を観たとか、うそに決まっている。そんな調子で取りつく島もない」

「まあ、そりゃあ、わかるかな……」

「でも事実だから仕方がない。だから証拠を見せてやるって話になった」

「ああ」

「とにかく、すまなかった」酒井が深々と頭を下げた。

「よせよ。水臭い真似するなよ」

「今度埋め合わせはする」

「いいよ。何もしなくていいよ」正春が手を振る。

「じゃあ帰る」

酒井が踵《きびす》を返し、勢いよくリビングを出て行った。床を鳴らして廊下を歩く。そののち、玄関ドアが静かに閉まった。正春はしばらく動けないでいた。

音楽を流しっ放しにしていたことに、やっとのことで気づく。ボリュームを落とした。昔大好きだったスティングが、『セット・ゼム・フリー』と唄っていた。

5

翌日の昼、酒井とランチに出かけた。向こうが「奢《おご》らせてくれ」と誘ったのだ。鰻屋の座敷で向かい合う。酒井は首を左右に曲げ、微苦笑した。なにやら晴れ晴れとした顔をしていた。

「うちの女房が我に返ってな、非常に恥ずかしがっていた。もう会社の人に合わせる顔がないって落ち込んでいた」

「そんなことはないさ。気にしないでくださいって、順子さんにそう伝えてくれよ」

正春はやさしい気持ちで言った。事実、不快な思いはひとつもない。

「ありがとう。伝えておく。物事の大半は、時間が経てば全部笑い話だ」

「ああ、同感だ。十年ぐらいしたら、夫婦のいい思い出になるさ」

「少し時間を置いて、今度うちにも来てくれ。女房に挽回のチャンスも与えてやらないとな。料理、得意なんだよ」

「うん。ごちそうになる。楽しみにしてる」

ビールを一本だけ注文して、二人で飲んだ。お新香をぽりぽりと嚙む。

「おれな、内心は疚しかったんだと思う」酒井がぽつりと言った。

「疚しい？」

「ああ。これが外で飲んだりマージャンをしたりだったら、いつも通りのことだし、堂々としていたんだと思う。でも、会社帰りに同僚の家で遊ぶっていうのは、女房に悪いって気持ちがどこかにあったんだろうな。だからはっきりとは言わなかった。残業とか、接待とか、そういううそをついた」

「そうなのか」

「だってそうだろう。自分の家より同僚の家のほうが居心地がいいなんて、女房族にとっては屈辱的なことだろう。もっとも、今だから冷静に分析できることで、昨日までは本能的に隠してたんだけどな」

「うん」

「で、うそをつけば挙動に出る。隠し事をしていると勘ぐられる。そこに妙な噂が飛び込んだ。そりゃあ女なら誰でも動揺する」

「そうだな」

鰻重が届き、しばらく黙って食べた。うしろのテーブルでは、どこかの管理職が部下を相手に、営業戦略について自説をとうとうと述べている。

「おれ、思うんだけど、きっと巣作りっていうのは女のアイデンティティなんだろうな」酒井が言った。「男は出しゃばっちゃいけないんだよ」

「うん、わかるかな」正春は目を伏せて苦笑した。

「家に自分の遊び場が欲しければ、それなりの大きな家を建てられるとか、別荘を持てるとか、そういう甲斐性《かいしょう》が求められるわけよ。建売住宅で男の王国は作れない。マイホームは女の城だ」

言いえて妙なので、正春は肩をすくめて見せた。そして我が身のことを思った。

この二ヶ月ほど、夢中になっていたのは自分の王国を作ることだったのかもしれない。仁美が出て行って、足枷《あしかせ》が外れ、一度やってみたかったことを誰にも気兼ねせず実行に移したのだ。オーディオやホームシアターは、自分だけの暖炉だ。電気スタンドやソファは、陣地を守るためのお堀だ。

「ところで田辺、カミさんとは連絡を取ってるのか」酒井が聞いた。

「ううん。全然」

「おれが口出しするようなことじゃないけど、このままフェードアウトってわけにはいかないだろうし、電話をするなら男の側からしてやれよな。出て行った側には面子《メンツ》もあるんだから」

「おまえ、大人だな」

「当たり前だろう。こう見えて一国一城の主《あるじ》だぞ」酒井がおどけて胸を張る。

「女の城じゃなかったのか」

二人で笑った。不思議と温かい気持ちになった。

その日の夜、正春は仁美に電話をすることにした。どういう用件にしようかと三十分悩んだが、まったく思いつかなかったので、「元気でやってますか？」というシンプルなご機嫌うかがいにした。

電話機を前にしてさらに三十分悩んだ。勇気がなかったのだ。けれど先送りにしたらもっとかけにくくなるだろうと思い、「えい」と自分に気合を入れて受話器を手に取った。

かけると、仁美は家にいた。

「あの、正春だけど、お久し振りです。どう？　元気でやってますか？」

他人行儀な言い方だが、うわずることなく自然に言えたのでほっとした。

「うん、やってるよ。そっちは？」

仁美はとくに驚いた様子もなく、淡々としていた。

「仕事はどう？」

「うん、普通にやってるよ」

しばらく、とりとめもない近況報告をし合う。

「ところでさあ。マー君、すごいテレビ買ったんだね」仁美が唐突に言った。

「えっ、どうして知ってるの？　誰かに聞いたの？」

「見たの。この目で。まだ鍵は持ってますからね」

「うそ。うちに来たんだ」正春は顔が熱くなった。

「二週間ぐらい前かな、わたし電子レンジを買い換えたのよ、自分がデザインしたやつが商品化されたから。それで古いのをどうしようかと思って、どうせマー君、まだ買ったりしてないだろうって勝手に決めつけて、譲ろうと思って、レンジを担いでタクシーで行ったの」

「知らなかった」

「そりゃそうよ、行ったの平日の昼間だもん。部屋に届けて書置きでも残そうとしたんだけどね……」ここで一呼吸あった。「マー君、すっかり部屋の模様替えしちゃってるんだもん。わたし、ショックを受けて、そのまま置かないで持ち帰っちゃった」

「そうなの？　ショックって、どうして？」

「だって、いかにも男の人が理想としそうな部屋になってるんだもん。オーディオがあって、ホームシアターがあって、本とCDとレコードが並んでて、ラックにはサボテンなんか飾ったりしてさ……。女を連れ込んでる痕跡があるよりショックだった。わたしと暮らした八年間を全否定された気がした」

「そんな大袈裟な……」

　正春が絞るような声を出すと、仁美は「ふふ」と小さく笑った。

「わたしね、心のどこかで部屋が荒れてることを期待してたのよ。殺風景で、コンビニ弁当の殻がキッチンに放置してあったり、そういうのだったら、掃除でもしていってあげようと思ってた。でもあれじゃあねえ。わたし、すっかりへこんで、抜き足差し足で退散した」

正春は返す言葉がない。仕方がないので鼻をすすった。

「でも、時間が経ったから立ち直ったよ。素敵な部屋じゃん。わたし、もしかして好きかも。久し振りにマー君が独身だった頃のアパートを思い出した。そういえば山と積まれた本とレコードとCDに囲まれてたなあって」

仁美が懐かしそうに言う。遠い目をした表情が、容易に頭に浮かんだ。

「ねえ、ちなみに君が出て行った原因は何なの？」正春が聞いた。

「もう忘れた。昔のことのような気がする」

「そんな……」一人、鼻に皺を寄せる。「もしかして、おれの早食いに嫌気がさしたとか？」

「わかってるのなら直しなさいよ」

「わかった。直す」

「いつかお寿司の出前をとったとき、わたしがお茶をいれてる間に自分の分を食べ終えちゃったでしょう。あれ、相当むかついた」

「だから直すってば」

互いにため息をつくのが、受話器を通してわかった。

「今度の週末、遊びに行ってもいい？」仁美が、軽い口調で聞いた。

「うん。もちろん。おいでよ」正春は三段跳びのテンポで答えた。

「あの大きなテレビで映画でも観せて。それから自慢のオーディオセットで何か聴かせて」

「わかった。ええと、部屋は掃除しておいたほうがいい？」

「当たり前でしょう。わたしにさせる気？」

仁美が、怒りながら笑った。

おやすみの言葉を交わし、電話を切る。砂山が崩れるように肩の力が抜けていった。

赤いソファに寝転がり、ため息をついた。

そうか、週末に来るのか——。目を閉じて深呼吸する。

しばらくして、跳ね起きた。隠すもの、なかったっけ。

ある。アダルトＤＶＤを五枚も買っていた。

急いで寝室へ行き、ベッドの下から取り出し、捨てるのはもったいないので、中身だけパソコン用のディスク・ケースに紛れ込ませることにした。これでよし。あとは、あとは……。しまった。アバンチュールを期待して、寝具一式も新しく替えていた。元に戻さねば……。

まるで、独身時代に仁美をアパートに招き入れるときと同じ姿だった。

正春は、自分の作り上げた部屋を何度も点検していた。

# グレープフルーツ・モンスター

# 1

佐藤弘子《ひろこ》は三十九歳の専業主婦で、小学校に通う二人の子供がいて、東京郊外の新築一戸建てに暮らしていて、平凡で、しあわせだった。中堅の印刷会社に勤務する夫は、この春課長に昇進した。やり手とは言いがたいが、調整型の性格で信頼を得ているようだ。子供たちも元気に育っていた。共に活発で、上の娘はクラス委員を務めている。

近所付き合いもうまくいっている。下の息子がサッカーチームに入ったおかげで、いっきに知り合いが増えた。主婦の世界は近所だ。そこしかないから、大切だ。

夫の給料でも充分暮らせるが、蓄えはほしいので、弘子は内職をしている。DM用の宛名をパソコンで入力するアルバイトだ。一通分で七円。手に職がないとはこういうことなのだろう。

「佐藤さん、うらやましいわあ、パソコンが使えて。自宅でできるんだもんね」

スーパーでレジを打っている隣家の主婦は、弘子がパソコンに向かっている姿を見て、勝手に誤解してくれた。キーボード操作が、この内職を体裁よく見せてくれる。これが手書きだったら、きっとわびしい感じがすることだろう。自分だって、気乗りしない。業者から届けられた名簿を、機械的にインプットしていく。学校の卒業名簿のコピーだったり、どこかの顧客名簿だったり。アンケート用紙の束が届いたときは、うっかり答えたアンケートがこうして流通するのかと、少し怖くなった。

「フィメール」という会社が、内職の発注元だ。袋張りから商品モニターまで、子供が小さくて外で働けない主婦たちに仕事の斡旋《あっせん》をしている。地域担当の、太った五十がらみの男が週に一度回ってきて、フロッピーを回収していく。玄関先のやりとりで、世間話を交わすこともない。

「佐藤さんには納期を守っていただいて助かってます」

これくらいのお愛想は言ってくれるけれど。

飽きずに続いているのは、時間を忘れて没頭できるからだ。ささやかながら、充実感もある。急ぎの仕事に振り回されることもあるが、少しは縛られないと、日常になんの区切りもなくて、逆に不安になる。

子供が学校から帰るまでの日中、ダイニングテーブルに陣取って、カタカタとキーをたたく。つけっ放しのラジオからは、主婦相手の人生相談が流れている。地味だけれど、こういう毎日が弘子は嫌いではなかった。きっと多くを望まなくなっているからだ。もうすぐ四十歳。逃れようもなく、おばさんだ。

その日は玄関チャイムの鳴り方がちがった。強く押せば大きく鳴るようなものでもなかろうが、なんとなく乱暴な音に聞こえたのだ。

フィメールの営業マンが来る曜日だったので、そう思ってインターホンを取ると、フィメールを名乗るものの、いつもの担当者の声ではなかった。「お世話様でーす」。ぶっきらぼうな調子なのだ。

封筒に入れたフロッピーを持って、弘子は玄関を開ける。派手なピンクのネクタイが目に飛び込んだ。顔を上げると、立っていたのは、まだ若い、顔の浅黒い男だった。髪は薄茶で、どことなくサーファーっぽい。化粧品の香りが鼻をくすぐった。

「どうも」男がうなずくように会釈する。「今日からこの地区の担当になりました栗原です」髪をかき上げ、頭を振った。

「あ、はい。こちらこそ」弘子も会釈を返す。前任者からはなんの挨拶もなかったが、内職の主婦への対応なんてそんなものなのだろう。

「いきなりですいませんが、お手洗い、貸してもらえませんかね」栗原が言った。片手でひょいひょいと拝んでいる。

「あ、はい。どうぞ」断るわけにもいかないので弘子は了承した。栗原を招き入れ、先に廊下を歩いてトイレへ案内する。男が小柄だったので、安心した。これが大男なら万が一のことを考えて緊張してしまう。

栗原が用を足す間、玄関で待つのも妙なので、横のリビングに入った。静かだったのでジョボジョボという放尿の音が家の中に響いている。弘子はその無神経さを不快に思った。営業マンなら、公園の公衆トイレで済ませるものだ。

栗原は用を足し終えると、廊下をドスドスと音を立てて歩き、リビングに入ってきた。そして「いやあ、暑いッスね」と顔をしかめて言うと、勝手にソファに腰を下ろした。ネクタイを緩め、細い首を亀のように伸ばす。

「今年はカラ梅雨だなあ。ボロ車だからろくにエアコンも利《き》かないんですよ」

手を団扇《うちわ》のようにひらひらさせ、口を開けて、いかにも喉が渇いたというような仕草を見せた。

「冷たい麦茶でもお飲みになりますか?」弘子が仕方なく言うと、「悪いッスね」と栗原が初めて白い歯を見せた。

弘子は呆《あき》れた。やけに図々しい男だ。

渋々キッチンへ行き、グラスに氷を入れ麦茶を注いだ。お盆に載せ、リビングに戻る。栗原はテレビのラックをのぞき込んでいて、「佐藤さん家《ち》、まだビデオデッキなんだ」となれなれしい口調で言った。

返答に困り、「ええ」とだけ答える。遅れているとでも言いたいのだろうか。

「DVDレコーダーの消費者モニター、募集が余ってるんだけど、やりません？」栗原が向き直った。「三ヶ月のお試しで謝礼九千円。もっともこれはアンケートを採点した上での満額だけど」

「いいえ、結構です」麦茶をテーブルに置き、弘子は辞退した。よく知らない話には乗りたくないし、物言いが不愉快だ。

「どうして？　モニターはみんながやりたがるバイトですよ。ただで最新の商品が使えるんだし」

「でも、わたし機械に弱いし」

「だからいいんスよ。素人が使ってどうなのかをメーカーは知りたがるわけだから」栗原が麦茶を一気に飲み干す。手の甲で口を拭《ぬぐ》い、「じゃあ、次にお願いする仕事なんですが……」と紙袋からハガキの束を取り出した。

どうやら懸賞の応募ハガキらしかった。目で追うだけのリストとちがって、一枚一枚除《よ》けなければならないので面倒な仕事だ。

「この束が三十代以上の独身女性で、この束が四十代以上の既婚者で……」

DMというものがどうして送られてくるのか、弘子はこの内職をしてわかった。何気なく出した応募ハガキまで、データとして管理されるのだ。

「ところで佐藤さんはいくつなんですか？」

「……三十九ですけど」

答えてしまってから、かっと顔が熱くなった。

「へー。若く見えるなあ。三十代前半だって通りますよ」

もちろんうれしくなどない。こんな質問をされたことに腹が立っている。

「ちなみに、ぼくは二十九なんスけどね」

弘子は黙ってハガキの束を受け取り、代わりにフロッピーを差し出した。

「これって、確か来年成人する娘のいる家庭のリストでしたよね」栗原が聞く。

「さあ、内容については聞いてないので」

「そうなんだ。在宅さんはデータを打ち込むだけなんだ」ソファにもたれ、肩をすくめた。

在宅さんという言葉は初めて聞いた。内職の主婦のことを、彼らは社内でそう呼んでいるようだ。馬鹿にされた気がした。

「前の方はどうされたんですか？」弘子が聞いた。

「辞めたんじゃないスかね。ぼくも今週入ったばかりで、よくは知らないんだけど」

きっと出入りの激しい会社なのだろう。三十近くにもなって内職の斡旋会社に就職というこの男も、職を転々としてきたにちがいない。

弘子は受け取りの証書をもらい、「それでは」と退室を促した。

「あ、そうッスね。お邪魔しました」栗原が跳ねるように立ち上がる。耳を覆っていた髪が揺れ、その下にピアスが見えた。

ろくな営業マンではなさそうだ。この男が毎週来るのかと思うと気が重くなった。次からは家に上げないようにしよう。

玄関で栗原を見送った。靴を履くとき、ソックスの踵《かかと》に穴が開いているのが見えた。独身のようだ。

靴べらを貸してくれというので、差し出した。手が触れ、落としてしまう。二人同時に屈んだので、頭がコンとぶつかった。もわっとした、若い男の熱のようなものが肌に降りかかった。化粧品の匂いも。

「あ、すいません」栗原があやまる。

長髪を一振りし、去っていった。柑橘系《かんきつけい》のフレグランスの香りが鼻に残った。

その夜、変な夢を見た。グレープフルーツの怪物に犯される夢だ。ミシュランタイヤのキャラクターみたいな、丸い段重ねの生き物が、弘子にのしかかってきたのだ。夢の中なのに覚醒した部分があって、その怪物は昼間の栗原という男の化身だとわかった。若さと粗雑さがイメージとしてある。強く抵抗しなかったところをみると、心からいやではないのだろう。最後はあきらめて、身を任せた。心の隅に、期待があった。淫《みだ》らな欲望ではない。変わった日常がほしい、それだけの期待だ。すごく感じたのも、事実だけれど。

朝方、下着に染みがついているのに驚いた。こんな具体的な淫夢は数年ぶりのことだった。もちろん隣の布団で寝る夫は、知る由もない。

2

翌週、栗原はDVDデッキを担いで現れた。玄関でピンクのネクタイが揺れている。

「この前言ってた、モニターの件ですけどね。やっぱり佐藤さんにお願いできないですかね。アンケート用紙の全項目に答えると一月《ひとつき》で三千円出るんですよ」

そう言いながらリビングまで勝手に上がってきた。

「ま、子供の小遣いみたいな金額で申し訳ないんスけど、ちょっと贅沢なランチが食べられると思えばいいじゃないですか。ね」

「あの、でも」

弘子は戸惑いながら、栗原がデッキの梱包《こんぽう》を解くのを見下ろしていた。

「こういうの、やりたがってる人は多いんですよ。でも、メーカー側の条件が一戸建てのサラリーマン家庭で、中学生以下の子供が二人以上というものだから」

「はあ……」

そのデッキは一流家電メーカーのものだった。買うには決心がいる値段だ。

栗原はテレビのラックからビデオデッキを引っ張り出すと、裏面の配線を抜き、代わりにＤＶＤデッキを収める作業を始めた。

「奥さん、喉渇いちゃった」みのもんたのような口調で言う。

仕方なく冷たい麦茶を用意した。弘子の胸の中では、不愉快な思いがふくらんでいる。

栗原は麦茶を飲み干すと、上着を脱ぎ、再び作業に戻った。その背中を弘子が眺めている。ノリが軽いわりに筋肉質なので意外に思った。何かスポーツをしていた男の背中だ。

「あ、いっけねー」栗原が舌打ちし、振り向いた。「セッティング、ぼくがやっちゃいけないんだ」

「そうなんですか？」

「そう。モニター本人がやらなきゃなんないの。それもアンケートにあるから」

「じゃあ、夫が帰ったら頼みます。わたし機械に弱いし」

「うーん」座ったまま腕を組んでいる。「一応、こっちも稼動確認をしなきゃなんないんですよね。また来るのも手間だし……」

こっちだってそう頻繁に来られるのはいやだ。

「佐藤さん、ぼくが見てるから自分でやってもらえますか。マニュアルを見ながら」

何か言いたかったが従うことにした。考えてみれば、こっちはモニターになることの了承もしていない。

マニュアルを床に広げ、図解を見ながらプラグを端子に差し込んでいく。OUTとかINとか、チンプンカンプンだった。

「あ、そこは白いプラグ。黄色いのは音声端子」

栗原が隣で身を乗り出した。柑橘系のフレグランスの香りが、若い男の体臭と一緒に鼻に飛び込んできた。今夜また夢を見るかな。そんな場違いなことを思う。

肩が軽く触れ合った。弘子は体を引かなかった。引き締まった筋肉を感じた。じんわりと顔に熱を帯びる。栗原に好意などないが、この接触はいやではなかった。夫以外の男とここまで近づいたのは、思い出せないほど過去のことだ。

配線を終えると、栗原はソファに深くもたれ、ポケットからたばこを取り出した。営業マンが、訪問先でたばこを吸うつもりなのか。

「ええっと、灰皿、貸してもらえないッスかね」

「うちは誰もたばこを吸わないんです」弘子は毅然と言い返した。

栗原は肩をすくめ、たばこをしまい、書類をテーブルに置いた。

「じゃあ、これがアンケート用紙です。馬鹿みたいに些末《さまつ》な項目ですけど、思ったままを書いてくれればいいですから。うちの社長に言わせると、使ったふりの報告はすぐにばれるそうなんで、ひとつよろしく……。それと貸出証に印鑑もらえますかね」

いつのまにか引き受けることになっていた。まあいい。邪魔になるものでもないし、夫はよろこびそうだ。

宛名書きのフロッピーを手渡す。「ほいじゃあ」栗原は会釈することもなく、軽く手を上げると、リビングから出て行った。

玄関で見送るとき、無意識に身を乗り出し、背中からフレグランスの匂いをかいだ。その香りが鼻を通り抜け、弘子の頭の中で拡散していく。

何かを得たような気になり、甘い気持ちになった。

「これってくれないわけ？」夫の達哉《たつや》は帰宅するなりＤＶＤデッキに興味を示し、マニュアル片手に操作を始めた。「あるいは安く買えるとか」

「買わないわよ、そんなもの。三ヶ月モニターしたらおしまい」

「らくな仕事だなあ。あー、おれも在宅勤務したい」

達哉はそう言い、床に寝転がる。腹の周りの贅肉がぷるんと揺れた。

「らくな仕事って何よ。家事の合間を縫ってやってるっていうのに。それより晩御飯、早く食べて。後片付けができないでしょう」

弘子は、夫だけの遅い夕食をテーブルに並べ、早く食べるように急《せ》かした。子供たちは二階で宿題をやっている。

「ビールは？」

「飲むの？」

「もちろん。出してよ」

弘子は冷蔵庫から渋々ビールを取り出した。

四歳年上の達哉はすっかり中年のおじさんだ。ウエストは年々大きくなり、そろそろ九十センチに近づこうとしていた。スポーツは付き合いゴルフだけで、たるんだおなかを気にする気配もない。夫は、若い女の子にもてることをあきらめてしまったようだ。自分だって風呂上りの夫を見ると幻滅する。

達哉がテレビの方を向きながら、唐揚げを頬張り、ビールを飲んでいる。

「ねえ、少しはダイエットしたら？」これを口にするのは百回目だ。

「あのね、人には快適な脂肪量っていうのがあるの。健康診断も異常なしだし、おれはこのままでいいの」

弘子はテーブルに頬杖をつき、口をすぼめた。

もっとも自分もえらそうなことは言えない。ときどき、スーパーのウインドウに映る己の姿を不意に見て、暗くなることがある。二の腕のたるみなんか、強い風が吹けば揺れるほどだ。

夫がニュース番組を見始めたので、弘子は先に風呂を済ませることにした。スポンジに石鹸《せっけん》を擦り込み、体をこすっていく。下から上へ持ち上げると、そのつど肉がプルンと揺れる。そしておなかには段ができている。

美容法はいくつも試したが、どれも長続きしなかった。きっと切実じゃないからだ。女優やモデルだったりしたら、死ぬ気で若さを保とうとするだろう。キャリアウーマン程度の立場でも、自分を美しく見せようと努力するだろう。要するに、専業主婦には人の目がない。だから緊張感がないのだ。

湯船に浸かると、久し振りにマッサージをした。顎を両手で包み、頬から首まで全体を引っ張りあげていく。いつしか夢中になり、二十分も施していた。

湯上りには鏡で自分の裸を見た。もうすぐ四十、か。鼻から息を漏らした。

バスタオルで体を拭《ふ》く。かすかな期待があった。夢への期待だ。

案の定、夢の中にグレープフルーツの怪物が現れた。無言で弘子にのしかかると、荒々しく体をまさぐった。乱暴というのではない。不器用なのだ。

弘子はわざと抵抗してみた。体をよじり、怪物の下から抜け出る。うふふ。口の端だけで笑ってやった。逃げようとすると、怪物が弘子の足首をつかみ、いとも簡単に引きずり込んだ。その扱われ方が快感だった。

怪物の背中からコードが何本も延びてきて、先の丸いものが弘子の体のあちこちを愛撫した。昼間の配線コードだとわかった。そして穴という穴に入り込もうとする。まるで昆虫のような無心さで。

弘子は身を任せた。エクスタシーが徐々に高まっていく。夫とのセックスより遥かにいい。声が出そうになるのを堪《こら》えた。夢の中だから、実際がどうなのかはわからないけれど。

爪先が痙攣《けいれん》した。自分は今、布団の中でのけぞっているのだろうか。夢なのに、そんなことを思う。怪物の重さを全身で感じながら、弘子は、新しい楽しみを見つけたことをよろこんだ。

## 3

三回目の栗原が訪れる日、弘子は髪をいつもより念入りにブローし、化粧をした。マニキュアも塗った。肩と胸の開いたカットソーを着て、時間を待った。外出から戻ってきたところなの――。そういう言い訳を考えた。どうして着飾ったか、自分でも説明がつかなかった。漠然とちがったことをしてみたかったのだ。

栗原は、玄関で出迎えた弘子を見ておっという表情を見せた。一瞬だったが見逃さなかった。何か誤解されないだろうか。そんな心配もかすかにあるが、若い男の反応に満足している。

「どうぞ」自分から家に上げた。「間に合ってよかった。出かけてたんですよ」

「そうッスか」栗原はとくに関心はなさそうだ。

求められる前に麦茶を出した。リビングのソファで向かい合う。

「じゃあ、次にお願いする仕事です。海外に年二回以上出かけている未婚女性の一覧です。またリストになってなくて申し訳ないんですが」

栗原がアンケートをコピーした紙の束を出し、説明を始めた。その姿を弘子が見ている。毎回、同じ服装だ。ピンクのネクタイも。もしかして正業に就いたのは初めてなのだろうか。ずっとフリーターでサーフィンをやっていたとか、ショップのバイト店員だったとか。そんなどうでもいい想像をしている。

体も観察した。やっぱり引き締まっている。マッチョではないが、全体が筋肉質だ。

「ところでDVDレコーダー、使ってもらってますか?」栗原が聞いた。

「ええ、夫がよろこんで録画してる」

「えーと、奥さんやお子さんにも使っていただかないと、アンケート項目が埋まらないから……」


「そうね。わかってるけど、なんだか操作が難しくって」

「佐藤さん、頼みますよ。モニターの意味がなくなっちゃうでしょう」

栗原が不服そうにため息をつく。その態度にかちんときた。

「じゃあ教えてよ」

「おれだって知らないッスよ。持ってないし」

とうとう「おれ」になった。これで夢のことがなければ会社にクレームをつけてやるところだ。

「こういうのって、栗原さんの成績にかかわるわけ？」

「さあ、それはわかんないけど、入ったばっかの会社でとろいことはやれないし」

「前は何をしてたの？」

「運送関係ですよ」

そうか、荷物の積み下ろしで鍛えられたのか。

「日焼けしてるのは？」

「サーフィン。十年以上やってますけど」

これは当たった。見かけどおりだ。

「じゃあ使ってみるから、手伝って」

弘子はマニュアルをテーブルに広げ、リモコンを手に取った。
「あのう、ぼく、次のところがあるし」と栗原。
「いいじゃない、十分だけ」
テレビラックの正面に腰を下ろし、操作をした。栗原はすぐ隣でマニュアルを読み上げてくれている。弘子はわざと体を寄せた。ゆっくりと、気づかれないように。柑橘系のフレグランスの香りをかぐ。今日はもうひとつぐらい、何かほしかった。夢の材料になるようなものが。

弘子は思い切ってよろけるふりをした。「あ、ごめんなさい」栗原の肩に手をつく。服の上から若い男の筋肉を確認する。栗原が弘子を見た。顔がすぐ前にあった。

こちらも化粧の匂いをさせている。誤解されてもまずいと思い、すぐに離れた。想像したとおりの、しなやかな筋肉だった。

栗原は何事もなかったかのように読み上げに戻った。ふと疑問が湧く。二十九歳の男は、三十九歳の女をどう見ているのだろう。セックスの対象になるのだろうか。

人によるか。好みの問題だ。でも普通に考えれば対象外だろう。二十九ならば、二十代前半の女が恋愛相手の範疇《はんちゅう》に入る。その若い女たちと自分が張り合えるわけがない。

何とか録画に成功した。「できたじゃないッスか。これで大丈夫ですね」栗原が無愛想に言った。

帰る栗原を玄関まで見送る。駄目押しにもう一度匂いをかごうと背中に顔を近づけたら、不意に振り向かれ、どきりとした。

「なんか臭います?」

「あ、あの、いい香水だなって」しどろもどろになった。きっと顔も赤くなっている。

「男の人でこういうの、珍しいかなって」

「そうッスか。誰だって使ってますよ」

栗原は訝《いぶか》りながら帰っていった。弘子はリビングに戻ると、ソファに突っ伏した。胸の動悸《どうき》を抑え、大きく息を吐く。危ない、危ない。もう少しで、変なおばさんと思われるところだ。

昼食をそうめんで済ませ、ダイニングテーブルでパソコンに向かった。郊外の住宅街でときおり聞こえてくるのは、小さな子供の遊ぶ声か、不用品引き取りのアナウンスぐらいだ。

アンケートの住所の部分を、カタカタと打ち込んでいく。クッキーをつまみながら、麦茶を飲みながら。

ふと、今作っている宛名書きが、海外旅行好きの独身女性のリストであることを思い出す。何気なく目をやると「年収」の欄があり、みな結構な稼ぎだった。三十代もたくさんいる。いい気なものだ。結婚も子育てもせず、旅行三昧《ざんまい》とは。

弘子が最後に海外旅行をしたのは、もう十年以上前のことだ。新婚旅行でハワイに行ったのが最後だ。この先予定もない。きっと子供が独立して、夫が定年になるころ、夫婦で出かけるのだろう。

手を休め、窓の外を見た。まぶしいばかりの夏空が広がっている。

別の人生もあったかな。弘子はたまにそんなことを思ったりした。三十代のほとんどを、自分は家の中ですごした。流行りのレストランにすら行ったことがない。そうこうしているうちに、おばさんになった。世の中のことは、全部テレビの中だ。

仕事に戻る。宛名を打ち込んでいく。長い住所だと舌打ちしたくなる。一通分につき七円の単価は変わらない。


その夜遅く、酒を飲んで帰ってきた達哉は、風呂から出るなり弘子の布団に入り込んできた。鼻息荒く首筋に吸い付いてくる。

弘子は咄嗟《とっさ》に体をよじり、手で払いのけた。そうしてしまった自分に驚く。

「あ、ごめん。今日、体がだるいから」か細い声で言った。達哉が動きを止める。「そうか……」不満そうに自分の布団に戻った。

週に一度の楽しみを奪われたくなかった。あの夢は、自分をちがうところに連れて行ってくれるのだ。

夫が寝入るのを待って、自分も眠る態勢に入った。意識が薄れていく。快楽へのドアがすぐそこにある。

グレープフルーツの怪物はすぐに現れてくれた。前回とは体つきが少し変わった。引き締まって見えるのだ。肩を触ってみたら、弾力も硬めになっていた。よしよし。心の中でほくそえんでいる。おまけに自分も変わっていた。少し若いのだ。鏡があるわけでもないのに、それがわかる。昼間着飾ったせいだろうか。

いつものように無言でのしかかってきた。今回は手に棒状のものを持っていた。リモコンがこうなったのだとわかった。それで何をしようというのか。胸が高鳴った。

怪物はヴァイブレイトするそれを使い、弘子の体を弄《もてあそ》んだ。早くもエクスタシーに達しようとしている。快感が性急なので、体をひねり、はいつくばって怪物の手から逃れた。もっと時間をかけたいし、制されたい。すると期待通り足首をつかまれ、赤子をひねるようにいとも簡単に引きずり込まれた。この瞬間も、もう病みつきになっている。圧倒的力に屈したいのだ。

怪物は弘子の上に乗ると、腰を動かし始めた。これまで曖昧だった挿入感が確かにあった。夢のクオリティが上がったのだ。

どんどん快感が高まっていく。前回よりも、ずっと大きな痺《しび》れがあった。弘子は足を広げ、怪物の胴体に絡めた。両手も首に回した。夢中でしがみついていた。同時に歯を食いしばる。隣には夫が寝ている。なぜかそのことがわかっているのだ。発しそうになる声を懸命に嚙み殺し、やがて弘子は最上のエクスタシーに達した。こんなのは初めてだった。これがきっと百パーセントの快感だ。

4

毎日、夢のことを考えるようになった。三度目に味わった快感は、朝になっても余韻が残っていて、今でも体のどこかを探せば出てきそうなほど鮮烈なものだったのだ。

退屈で彩りのない日常がすっかり変わった。あの日がまた来る。それだけで気持ちに張りがあった。入浴時のマッサージが日課になった。軽い美容体操をするようになった。夢の中のことだから、なんの罪悪感もない。一人だけの楽しみだ。

洋服が欲しくなったので、新宿のデパートまで出かけた。栗原を出迎えるときの服だ。何か変化を与えれば、それが夢に反映される。弘子は新しいスイッチを求めていた。

黒のタンクトップとシースルーシャツのセットを買った。スカートはミニを試着してみたが、さすがにやり過ぎかと思い、深いスリットの入ったロングにした。これで屈めば太ももが露わになる。

昼間のデパートは客の大半が主婦だった。それも一人だ。見慣れた光景のはずなのに、今日はなぜか感じ入った。みんな、淋しくないのだろうか。

店内のレストランに入っても、女性客の多くは一人でランチをとっていた。そうするのが当然のように。

子供が学校から帰るまでの、つかの間の自由時間。とくにデパートに来たいのではなく、ほかに行くところがないので足が向いてしまう。近所に誘い合うほどの友人はいない。万が一のことがあって、気まずくなりたくないから、どうしても距離を保ってしまう。

主婦は、みんな一人だ。

夫のワイシャツもついでに買おうと、紳士服売り場をのぞいた。ふとネクタイのコーナーに目が行き、栗原がいつも同じネクタイを締めていることを思い出した。洒落たネクタイの一本でもプレゼントしてやろうかと、知らず知らずのうちに選んでいる。

いいや、勘違いどころか引かれるのがおちだ。それに、栗原本人はどうだっていい。

一人苦笑し、かぶりを振った。

それなのに二十分もその場にいた。あげるならこれかな、という一本を選び、ばかげた空想を楽しんでいた。

栗原はそんな弘子の心の中などつゆ知らず、いつもの調子でやってきた。

「すいません。トイレ、貸してもらえませんかね」遠慮のない態度で上がり込んでくる。ジョボジョボジョボジョボと不快な放尿の音が響く。まあいい。こちらもだいぶ慣れた。

リビングに通し、今日はカルピスを用意した。運ぶとき、スカートのスリットを意識した。いちばんいい角度で脚を見せてやりたい。

テーブルで前屈みになりながら、視界の端で栗原の顔色を窺《うかが》った。

栗原が一瞬弘子に視線を走らせる。うまくいったのでうれしくなった。これはどんな形で夢になってくれるのだろう。

正面のソファに腰を下ろす。軽く身を乗り出し、両腕で胸を押し上げた。

「DVDレコーダー、ちゃんと使えるようになったわよ。裏番組の録《と》り方もわかったし」

いつもより明るい声を出す。笑顔も作って見せた。

栗原は、弘子の様子がちがうのに気づいたのか、しばし固まっていた。そしてちらちらと弘子の体を盗み見た。少しは気になっているらしい。その反応に弘子は満足した。

「ええと、次の仕事なんですが、年収一千万以上っていう世帯のリストだそうです」栗原が、いつものようにリストを取り出す。

「一千万だって。いいなあ」と弘子。

「腹、立ちますよ。こっちは逆立ちしてもそんな金額、届かないッスよ」

栗原が忌々《いまいま》しそうに言うのがおかしいので、弘子は「ふふっ」と吹き出した。

「こっちだって夢のような金額よ。わたしの内職なんて、たかが知れてるし」

「いや、こんなこと言っていいのかわかんないッスけど、在宅さんたちもよくやるなって思って。だって一通七円でしょ？」

一転して弘子の顔がひきつる。

「一時間に百件分打ち込んだとしても、時給七百円でしょう。頭パーの女子高生がハンバーガー屋でバイトするより安いんだから、ほんと同情しますよ」

弘子は胃がむかむかした。この常識のなさはいったいなんなのか。

「でもわたしたち、家にいてやれることって限られてるし」

「世の中、そういう人の弱みに付け込んでるんですよ」

「まあ、そうだけど……」

気を取り直し、話題を変えた。近所の主婦も商品モニターをしたがっている、などということを話す。

「そうッスか。じゃあ会社に言っておきます」気のない返事だった。

「食器洗い機とか、空気清浄機とか、そういうのはないの？」

「さあ、こっちは降りてきたブツを手配するだけですから」

「そうか、選べないんだ」

「そんな虫のいい話はないッスよ。このＤＶＤレコーダーにしたって、三ヶ月置いといて引き上げれば、ないと淋しくなって買ってくれるだろうって算段もあるんですから」

「そうね。夫が買うって言い出しそう」

栗原が鞄のファスナーを閉める。これで帰りそうだったので、頼みごとをした。

「栗原さんにお願いがあるんだけど、ピクルスの瓶が開かなくなっちゃって……。力ありそうだし、頼めない？」

今朝考えた口実だ。実際そういう瓶があった。

「旦那さんはやってくれないんですか」

「手を怪我しちゃってるの」これはうそだ。

キッチンへ走り、ピクルスの瓶を持ってきた。「これなの」

栗原は黙ってそれを受け取ると、ソファに座ったまま蓋《ふた》をつかんだ。右肘を上げ、力を込める。弘子はすぐ隣で、覆い被さるようにのぞき込んだ。柑橘系の香りをゆっくりと吸い込む。そして引き締まった肩と腕の筋肉を凝視した。上着の上からでも盛り上がっているのがわかる。顔が熱くなった。今夜のグレープフルーツの怪物は、どんな感じで攻めてくれるのだろう。

次の瞬間、瓶の蓋がとれ、中の液体が飛び散った。

「あーっ」栗原が声を発し、立ち上がる。肩が弘子の胸にぶつかった。ぐにゃりと胸が押しつぶされた。液体は栗原のズボンを濡らしている。

「あら大変」弘子は急いでキッチンから布巾《ふきん》を取ってきて、ズボンを拭いた。

「ああ、いいッス。自分でやりますから。たいしたことないし」

弘子はかまわず拭いた。若い男の太ももを、布地越しにこすった。下半身がじんわりと熱くなる。偶然とはいえ、これは大きな収穫だ。

「シミ、残らないかしら」

「どうってことないッスよ」

栗原は弘子の手をかわすと、鞄を持ち上げ「じゃあ帰ります」と言った。

玄関まで見送る。「モニターの件、なんかあったら教えてね。近所の人、紹介するから」

「あの、ええと……」栗原が靴を履いたところで振り返った。「ぼく、今日限りなんスよね。会社辞めるんで」後頭部を掻いてぼそぼそと言った。

「そうなの？　どうして？　入ったばかりじゃないの」

弘子は驚いた。そんな、急に。

「そうッスけど。向かないことを続けても意味ないし」

「だめよ。少しぐらいのことは我慢しないと。仕事ってそういうものよ」

引き止めていた。同僚でもないのに。

「いや、もう辞表は出してあるんで。今週限りなんスよね」栗原がドアを開ける。「次からは別の担当が来ると思うんで、今後はその人とお願いします」ドアが閉まる。

「あ……」伸ばした手が空を切った。

弘子はしばらくその場に立ち尽くした。気持ちがすうっと冷えていく。

なんだ、もう消えちゃうのか。せっかく見つけた楽しみなのに。

馬鹿みたいだ。わざわざ服まで買って……。

なにやら梯子《はしご》を外されたような気分だった。


その夜、風邪をひいたとうそをつき、弘子は客間に自分の布団を敷いた。どうせ最後なのだから、夫に気兼ねなく夢を見ようと思ったのだ。

次に来る担当者がどんな男かわからないが、中高年である可能性のほうが高い。若い男が主婦相手の内職の斡旋業なんて、やりたがるわけがないのだから。

自分から刺激を求めて外に出るということはない。小学生の子供がいるし、家庭が大事だし。自分はずっと家にいて、テリトリーの中にいて、何かが来るのを待っている。

不満はない。そうやって三十代を過ごしたし、これからも同じだ。生きがい探しも、自分探しも、生涯縁はない。とくに求めてもいない。それでしあわせだ。

目を閉じ、眠りに落ちる。早速グレープフルーツの怪物が現れてくれた。うれしくて抱きついてしまいそうだ。

怪物は弘子にのしかかると、上半身だけを押さえ込み、太ももを執拗に愛撫し始めた。舐《な》めたり、揉《も》みしだいたり。深いスリット入りのスカートを穿《は》いた甲斐があったというものだ。あるいは布巾で栗原のズボンを拭いたからだろうか。

弘子は抵抗する振りをして、怪物の背中に腕を回した。期待通りの引き締まった肉体だった。肌はほどよく潤っていて、顔をつけたら甘い汗の匂いがした。

怪物が弘子の足を開こうとする。約束事として抵抗する。でも力が入らなかった。するりともぐり込まれ、全身で覆い被さられた。

この重さが快感だ。制されている感じがする。首にしがみついた。弘子自身も腰を動かしていた。

声が漏れる。堪えなかった。かすかに漏れるあえぎ声に、自分で興奮している。すうっと浮かぶ感覚があった。すぐさま、ジェットコースターの下りのように、まっ逆さまに落ちていく。

下半身が一気に熱くなった。その熱いものは背中を突きぬけ、脳天にまで達した。

弘子は全体が赤い視界の中で、この上ない恍惚感《こうこつかん》に浸っていた。

火照《ほて》った体を、自分で抱きしめる。布団の中でいつまでも丸くなっていた。

終わったけれど、満足だった。よろこびとも悲しみともつかない涙が、一筋頬を伝った。

# 夫とカーテン

# 1

夫婦で晩御飯を食べているとき、夫の栄一《えいいち》が、品川駅前でカーテン屋を始めると言い出した。大山春代《はるよ》はその言葉を聞き、いつものように暗い気持ちになった。

「カーテン屋？」

「そう。カーテンとカーペット。これが儲《もう》かるわけよ」

御飯を頬張りながら、栄一が箸を指揮棒のように振る。態度はあくまでも明るかった。

「ねえ、また会社辞めるわけ？　せっかく課長になったのに」

栄一が今の会社に転職してまだ一年だ。それも春代が知る限りにおいて五つ目か六つ目の会社である。

「課長ったって、社員五十人の零細商事会社だしね」

「自分の勤めてる会社を、よくそういうふうに言うね。社長さんに信頼されてるんでしょ？　悪いわよ」

「そりゃあ申し訳ないとは思うけど、こっちもチャンスなんだから仕方がないじゃん。雇用関係なんてものは、あくまでも契約でしかないしさ。経営者なら社員に辞められることぐらい想定しておかなきゃ」

春代はテーブルに視線を落とし、吐息をついた。夫は言い出したら聞かない。おまけに行動が早い。宣言したときは、すでに走り出しているのだ。

「ところで、なんでカーテン屋か聞かないわけ？」

「聞いてあげてもいいけど」

春代は御飯を口に運びながら答えた。説明を受けたところで納得できるものでもない。夫の計画は、聞く分にはいつも完璧だが、実際に始めてみるとボロボロと粗《あら》が出てくるのだ。一昨年の出前代行業のときも、その前の同窓会幹事代行業のときも、その前の前の犬の散歩代行業のときも。

栄一は目を輝かせて話し出した。

「今さ、品川エリアの湾岸沿いに新築マンションがばんばん建ってるじゃない。その数いくつだと思う？」

「さあ。あっちの方ってあまり用がないから……」

「この前、営業で近くを通ったときに数えてみたわけ。芝浦から天王洲《てんのうず》までのわずか二キロの間に、なんと十二棟。それもすべて二十階以上の超高層で、大きなものになると総戸数が二千戸もあるわけ。正確な数値はまだ弾いてないけど、今後一年以内に品川エリアだけで最低一万戸は供給されるはずなんだよね」

「ふうん。景気のいい話もあるんだね」春代が気のない返事をする。

「そこでぼくは考えたわけ。新築マンションに引っ越した家族がまず何を買い求めるか。答えは……カーテンとカーペット」

栄一が、どうだと言わんばかりの顔をした。

「ねえ、ちゃんと調べた方がいいんじゃないの？　カーテン付きだったらそれでアウトでしょう」

「ご冗談を。カーテン付きのマンションなんかあるものですか。床にしたってフローリングが半分くらいあるかもしれないけど、ソファの下にはラグを敷くとか、そういう需要が見込まれるじゃない。それにね、高層マンションの場合、火災防止のため防炎カーテンの設置が義務付けられるわけ。これが結構値の張るものなんだよね。平均的な2LDKで角部屋だった場合、六組のカーテンが必要になって、なんとその値段が二十万円」

春代は黙ってタクワンをかじった。ポリポリという音が居間に響く。

「人間っていうのは、高い買い物をしたときほど財布の紐《ひも》が緩むんだよね。せっかく高いマンションを買ったんだから、カーテンだって奮発したいでしょう」

「こっちはそのマンションが欲しい」

「だからカーテン屋が成功したら買ってあげるよ。二十万円のカーテンの純益が五万円として、千戸にセールスするだけで五千万円の上がり」

栄一が五本の指を広げ、春代に向かって突き出した。

「だから、そういうのはちゃんと調べてから――」

「もちろん事前調査はするよ。明日ね、ひばりが丘団地の近くでカーテン屋をやってる人に話を聞きに行こうと思ってるんだ」

「なによ、そんな知り合いいたの?」

「ううん。電話帳で調べて事情を話して、『ぜひお話をうかがいたい』って申し込んだの。ひばりが丘なら距離的に商売敵《しょうばいがたき》にならないから」

春代は毎度のことながら呆れた。どうしてこういうバイタリティだけは抜きん出ているのか。元来が営業向きなのだから、それを今の会社で生かし続ければいいではないか。

「ちなみに、開業資金はどうするわけ?」

「そのための蓄えがあるじゃん。六百万円」

「そのための蓄え?」春代は目をむいた。「冗談でしょう? あれはマンションの購入資金です。なんとか一千万円に増やして、それを頭金にするって計画でしょう」

「だから、成功すればマンションぐらいキャッシュで買えるってば」

「失敗したら？」

「前向きに考えようよ」栄一が男のくせにシナを作る。

「絶対にいや。あの資金の半分はわたしのお金です」

春代は自宅でイラストを描く仕事をしていた。雑誌やパンフレットの挿絵程度のものだが、それでもＯＬの給料ぐらいは稼いでいる。

「じゃあ半分でいいや。あとはいつもの信金と公庫でなんとかするよ」

「そういう問題じゃないの」

春代は食べ終えた食器を手に席を立った。流し台に歩き、水道の蛇口をひねる。スポンジを手にする。会話を少し中断したかった。

それなのに栄一が食器を持ってついてくる。

「おれさ、このチャンスを逃して後悔したくないわけ。品川駅周辺ってオフィス街だから、今現在カーテン屋が一軒もないんだよね。早い者勝ちなわけよ」

毎回それだ。早い者勝ちということは、他者が参入したら終わりということではないか。

「どうせ客が一巡したら需要はなくなるから、それで店をたためばいいじゃん。つまり一、二年の勝負で五千万円」

そういうのがいやなのだ。自分は地味でも安定した日常を望んでいる。

「頼むよ」隣で栄一が手を合わせた。「会社員なんて先行きが知れてるじゃん。時代はベンチャービジネスなんだよね」

ＩＴとかコンサルタントとかならまだしも、栄一のベンチャーは人力でアナログなものばかりだ。

栄一がうしろから体を寄せてきた。腋の下から手が入り込み、乳房を触ろうとする。

「やめなさい」とがった声を発し、肘で払いのけた。栄一はおとなしく引き下がり、流し台にもたれ、小学生のようにすねていた。

「ねえ、わたしたちもう三十四になるんだよ」洗い物をしながら春代が静かに言った。

「まだ三十四。人生の折り返し地点にも来てない」

「そうかなあ。学生時代の友だちなんか、みんな子供がいて、住む家とか教育とか、将来のことに頭を悩ませているんだよ。それなのにわたしたちって人生設計もないじゃない」

栄一が口をすぼめ、黙り込んだ。こうなると子供と一緒だ。

「もう少し将来のことを考えて欲しいと思います」他人行儀に言った。

「じゃあ二年後に子供を作ろう。だから是が非でもカーテン屋を成功させてさ――」

「とにかく」水道を止め、向き直った。「一晩考えて、それからもう一度話をしましょう」

「いや、それなんだけど……」栄一が消え入るような声で言う。「実はもう、辞表を出しちゃってるんだよね。善は急げだから……」

めまいがした。そういえば、前回のときも断りなく会社を辞めていたのだ。

春代は大きくため息をつくと、栄一の足を思い切り踏んだ。

「痛いよ」結婚して七年になる同い年の夫が、笑いながら逃げていく。居間まで追いかけ、飛び膝蹴りを食らわせた。本気の一撃だった。


栄一の行動は早かった。ひばりが丘のカーテン屋の店主にまんまと取り入ると、仕入れルートや店舗経営のイロハを教わり、問屋や組合への紹介状まで書いてもらったのだ。

「見ず知らずの人がどうしてそんなに親切にしてくれるの？」

春代が訝ると、栄一は「正面からぶつかれば、人は好感を抱いてくれるものなんだよ」と涼しい顔で言った。思い当たる節はあった。栄一は出会ったその日に「結婚しませんか？」と照れて言ってきた。要するに、単刀直入の人なのだ。

そして品川駅前で店舗物件も探してきた。元倉庫で、だだっ広いだけのスペースだ。放任するとどこまでも突っ走られるので、春代も内覧に付き添った。

「場所的によくないんじゃないの？　裏道だし、人通りも少ないし」

「大丈夫。書店や食べ物屋とちがってカーテン屋はぶらりと入るところじゃないの。客は必要に迫られて買い求めるわけだから、チラシを撒《ま》けば探してでも来る。二階だっていいくらい」

栄一は自信満々に言った。疑問はあるが、面倒なので口をはさまないことにした。

配管のむき出しになった天井を見上げる。視線を移すと、壁はコンクリートのままだ。内装にはかなり費用がかかりそうだ。そんな心配が顔に出たのか、栄一は「ロフト風でいくから内装はいじらなくていいんだよね」と天井に向かってつぶやいた。

「床だけは真新しいフローリングにしよう。それで早速開店だ」

「ねえ、ここの保証金っていくらなの？」

「二百万円」

「軽く言うね」

「信金の融資が決まったから問題なし」

春代は眉をひそめた。「もう決まったの？　担保もないのに？」

「担保主義の大手都市銀とちがって、町の信金は結局のところ人に貸すんだよね。いつもの担当者に事業計画書を見せたら、『大山さんなら信用しましょう』って」

春代はそっとため息をついた。栄一は言葉巧みなハッタリ屋というわけではない。どちらかというと朴訥《ぼくとつ》に話す方だ。ただ、調子のいいことを言わないからか、妙に銀行筋からウケがいいのだ。

「前に借金を背負ったときも逃げずにちゃんと返したじゃない。ああいう行いの積み重ねが個人の信用を生むわけ」

「あ、そう」力なく返事した。きっと我が夫は、〝誠実な山師〟といったところなのだろう。

春代の見ている前で、栄一は手付金を払い、仮契約書に判を押した。これで後戻りできないなあ。心の中で不安な気持ちが渦巻いている。でも、まあいいか。失敗したところで致命傷となるような事業でもない。だから銀行だって金を貸すのだ。もう一人の自分が慰めている。

そのあと二人で、湾岸沿いを視察がてらドライブした。なるほど、栄一の言うとおり建設中の高層マンションが空に向かって何本も伸びている。さながら油田に群がる金の亡者たちといった光景だ。油田というものを、見たことはないのだけれど。

「どうよ。ここに住む全員がカーテンを買うんだぜ」

栄一が上気した顔で声を弾ませる。春代は助手席で黙ってマンションを見上げていた。できることならカーテンを買う側に回りたいものだと鼻から息をもらした。

その夜、女性誌の編集者から電話がかかってきた。昨日、宅配便で送っておいた連載エッセイの挿絵が、いたく気に入ったという連絡だった。

「今回のイラスト、なんかすごくいいッスね」

普段お世辞を言うような男ではなかったので、春代は素直によろこんだ。

「うまく表現できないけど、殻を破ったっていう感じですよ」

「そんな大袈裟な」

「ううん。色遣いなんか一見乱暴そうですけど、思い切りのよさがあるんですよ。いやあ、大山さんにイラストを描いていただいて一年になりますが、新たな一面を見た気がします」

編集者は上機嫌で春代を褒めそやすと、いいイラストをありがとうございましたと礼を言い、電話を切った。

春代の頬が自然とゆるむ。実を言うと、描き上げたとき、少し冒険かなあと思っていたのだ。

「なによ、いいことでもあったの？」風呂上りの栄一に言われた。

「イラスト、褒められちゃった」

「ふうん。君は絵が上手だからね」冷蔵庫を開けてビールを取り出している。

おい、わたしはプロだぞ。夫の背中をにらみつけた。

ソファに深くもたれる。両手を挙げて伸びをした。褒められるのは、いくつになってもいいものだ。

## 2

知らない間に、地下駐車場のアコードがワゴン車に変わっていた。それもルーフキャリーが付いた業務用のワンボックスだ。おまけにボディには《カーテン&カーペット大山》という文字が描かれている。

「どうしてこういうこと相談もなくやるわけ？」春代は、真顔で栄一に抗議した。

「環七沿いの中古屋で見つけたんだけどね、すごい出物なわけ。だって五年落ちのアコードと交換した上、タイヤを新品にして、さらには最新のナビシステムがおまけ。商売上、ナビは絶対に必要じゃない」

栄一に悪びれた様子は微塵もなかった。

「わたし、あなたが会社に行ってる昼間、ときどき多摩川まで気晴らしのドライブしてたんだけど」

「いいよ。空いてるときは自由に乗っても」

「《カーテン&カーペット大山》って描いてあるやつで？」

「宣伝になっていいじゃん」

春代は口の中でバーカとつぶやいた。「ところで、店の名前も勝手につけたわけね」

「うん。いろいろ考えたんだけどね、横文字のしゃれた店名とか。でもやっぱりわかりやすいのがいちばんだろうという結論に達してさ」

本当は密かに店の名前を考えていた。なんならロゴぐらいデザインしてやってもいいと思っていた。

「店の看板には大きく《K&K　OYAMA》って横文字で入れるつもりだけどね。一応ロフト風の店構えのわけだから、来店したお客さんにはかっこよく見せないとね」

「カーテンってCで始まると思う。たぶんカーペットも」

「え、そうなの？」栄一が電子辞書を鞄から取り出し、キー操作する。「あ、そうだ。両方ともCで始まる。じゃあ《C&C　OYAMA》だね。ああ気づいてよかった……。じゃないや。もう看板、注文してあるんだ」あわてて携帯電話を手にした。「もしもし、昨日お邪魔した大山と言いますけどね――」

春代は目を閉じてかぶりを振った。確か前回もこうだった。《デリバリーサービス大山》という社名で、英字はしっかりスペルミスをしていた。栄一にはチェックするという観念が乏しいのだ。きっと子供時代は、数式を解いても検算は一切しない少年だったにちがいない。

栄一は、それから三日と経たないうちに店員を二人雇い入れた。春代はそれを店で知った。床にフローリングが敷けたというので様子を見に訪れたら、栄一は不在で、知らない男女がそこにいたのだ。男の方は四十過ぎの脂ぎった中年で、女の方は劇団員風の地味な若者だった。

「あのう……うちの主人はいますか？」

「ああ、大山店長の奥さんですね。店長は今問屋に行ってますが、もうすぐ戻るはずですよ」

男が大きな声で答えた。いまどき珍しいパーマをかけたレイヤードヘアで、薄茶色に染めている。歌舞伎町のベテランホストといった風情だ。

「わたしは沼田《ぬまた》といいます。店長から聞きましたが、この店はきっとはやりますよ。新築マンションを狙うなんて素晴らしいアイデアだなあ。それも長居しないで、一巡したらさっさと店を閉めると言うし、そういう潔さって、好きだなあ」

「はあ……」

いい歳をして日焼けサロンにでも通っているのか、沼田という男は不自然なほど黒い肌をしていた。腕には金むくのロレックスらしい時計が光っている。

「実はわたしも自分の店を持つことを考えてましてね。長く勤める気はないから、店長とは利害が一致したわけですよ。わははは」

沼田が大口を開けて笑った。うへ、家には上げたくないタイプだなあ。そう思いながら女を見ると、こちらは愛想というものが根本的に欠けているようで、自己紹介もせず書類に向かっていた。化粧っ気もない。きっと前職はフリーターだ。

そうこうしているうちに栄一が帰ってきた。「やあ、来たの。どう？　いい床材でしょ」

春代は黙って顎をしゃくると、奥の事務室に栄一を連れて入った。「ねえ、人を雇うんなら雇うって言いなさいよ」腰に手を当てて言う。

「君も忙しそうだったからさ」

「忙しいわよ。でも履歴書を見るぐらいのことはできる。頼まれれば面接にだって付き合った」

「そう。じゃあ、次からそうする」

春代は黙って手を伸ばすと、栄一の耳を引っ張った。「いてて」顔をゆがめている。

「ちなみに、あの二人はどうして選んだわけ？」

「面接に来た一番目と二番目」

春代は肩を落とした。栄一は、はっきりいって人を見る目がない。性格がオープン過ぎて、誰でも受け入れてしまうのだ。

「沼田さんはねえ、この前までスナックをやっていた人。女の子の方は塚本《つかもと》さんっていって、現役の劇団員」

「当たった」

「何が？」

「なんでもない。つまり、期間限定の求人だから、応募者も限られるってことね」

「そうそう」

何がそうそうだ。だったら身元のしっかりした学生バイトでも雇った方が安心だし安上がりだろう。喉元まで出かかった言葉を呑《の》み込み、ディスプレイの手伝いをすることにした。放ってはおけない。我が家の将来がかかっているのだ。

重いカーペットを栄一と二人がかりで壁に立てかける。たちまち汗が噴き出て体が熱くなった。力仕事なんて久し振りだ。栄一が指示を出し、店員二人も陳列作業にいそしむ。

沼田は力持ちだが、性格が雑なのか商品をぞんざいに扱った。おい、もっと大事にせんかい——そう言いたくなったが、店長の妻が出しゃばるのもどうかと思い我慢する。塚本は非力で、小さなラグひとつ担ぐのによろよろしていた。全体の容貌が暗いので、なにやら強制労働の様相を呈している。

大丈夫かなあ。心の中に暗雲が垂れこめた。来週には開店だ。しばらくは自分も手伝った方がいいかもしれない。


その夜、食事を終えて仕事をしようとすると、両腕の筋肉がぱんぱんに張っていて、うまく筆が握れなかった。明日の午後イチまでという締め切りのイラストがあるので、休んでもいられない。

「今日はお疲れ様。一緒にビール飲まない？」風呂上りの栄一が缶ビール片手にのぞきに来た。

「うるさい。邪魔」春代は相手にしなかった。

自分に気合を入れ、ケント紙を前にアイデアを練る。主婦向け雑誌の特集ページのカットだ。「《自慢したくなるリビング》というテーマで自由に」と編集者から言われていた。

自由に、というのがいちばん困るんだよなあ。任されることはプレッシャーなのだ。

椅子にもたれ、目を閉じる。数秒して、すうっと静かになった。えっと小さく思う。確かラジオをかけていたはずなのに。

体が軽くなった。不思議な浮遊感があるのだ。目を開ける。天から絵が降ってきたからだ。全体像が隅から隅まで見えている。

下書きするのももどかしいので、ポスターカラーをパレットに何色も並べ、真っ白なケント紙に直接描いていった。こんなことは初めてだった。イメージと寸分の狂いもなく、色の世界が広がっていく。春代は一心不乱に筆を走らせた。

気がつくと三時間が過ぎていた。壁にかけた時計を見て気づいた。時間の経過さえも意識できなかった。A地点からB地点へワープした、そんな感じなのだ。

　そして出来上がったイラストを見て、春代は興奮した。鳥肌が立つほどの傑作が目の前に仕上がっていたのだ。おおーっ。心の中で声を上げた。イラストの仕事を始めていちばんの出来だ。

　誰かに伝えたくて寝室へ行くと、栄一は口を開けて寝ていた。

「ほれ、起きんかい」足蹴《あしげ》にする。

「……なによ」栄一がくぐもった声を発し、薄目を開けた。

「見て見て。これ、傑作でしょう」上にまたがり、イラストを突きつける。

「うう……。そんなことで……」

　驚いてくれないのでビンタを張った。

「痛い。ドメスティック・バイオレンス反対」

　芸術を解さない男に何を求めても無駄かと思い、寝室を出た。興奮が収まらないので冷蔵庫から缶ビールを取り出し、居間で一気に飲んだ。満たされた気持ちでソファに横たわる。なにやらポンと道が開けた気がした。

　テーブルにイラストを立てかけ、いつまでも眺めていた。自分の隠れた才能に驚いていた。

編集者からは期待通りの反応が返ってきた。あまりに出来栄えがよいので、特集の扉ページに使いたいと言ってきたのだ。ギャラも余計に払ってくれると言う。そしていつもは電話かメールのやりとりだけなのに、「たまにはご挨拶にうかがいたい」と春代の住む町までやってきた。駅前の喫茶店で向かい合う。

「大山さん、なにやら新境地を切り拓いたって感じですね」編集者が上機嫌で言った。

「知らない人が作品を見たら別人かと思うでしょうね」

「そんな……」春代が苦笑して首を振る。もちろん謙遜《けんそん》だ。

「いやあ、クリエーターという人種は、どこかで一皮剝《む》けるものなんですよ。大山さんの場合は今がそれなのかもしれませんね」

「わたし、もう三十四ですよ」

「いやいや、晩成の方が本物なんですよ。イラストレーターは若くして名を成す人が多いけど、そういう人は飽きられるのも早いですからね。その点、大山さんは本物だ」

褒められて春代もその気になった。もしかしたら人気イラストレーターとして名前が売れるかもしれない。

「でも、ぼくは編集部に来て一年ほどですが、前からいる連中に聞いたら、大山さんはときどき異才の片鱗《へんりん》を見せてたそうですね」

「そうなんですか？」春代が眉を寄せる。それは初耳だった。

「周期的に変わったイラストを描いて、部内で話題になっていたらしいんですよ。やっぱりクリエーターは本能で描くんですね」

　春代は考え込んだ。そう言われれば、思い当たる節がないわけではない。ときどき妙な閃《ひらめ》きがあって、小さな冒険をしてきた。自分でもいいのか悪いのかわからないものもあったが、気に入った作品も多々あった。

「こういうことを言うと失礼ですが、ここ半年ほどは大山さんもマンネリかなあって思うこともあったんですよ。まあ、今だから言うんですけどね」

　春代はややむっとした。水準以上のものを描いてきたつもりなのに。

「ああ、ごめんなさい。悪くはないんですよ。つまり、仕上がりが予想できたって意味で……」

「ええ。そうかもしれませんね」

「編集者は驚きたいんですよ。新しいものを見たいんですよ。だから傑作が送られてくると、こっちもうれしくなって陣中見舞いをしたくなるわけです」編集者がそう言いながら、床に置いてあった紙袋を持ち上げた。「フォションのクッキーです。仕事の合間にでもつまんでください」

「きゃあー」春代は声を上げていた。続いて鼻の奥がつんとくる。

　感激の気持ちと共に勇気が湧いてきた。仕事を続けてきてよかった。やりがいがあってこその人生だ。

家に帰って春代は過去の作品ファイルを広げた。編集者の言った「周期的に変わったイラストを描いて――」という言葉が気になったのだ。

調べてみると、確かに冒険している時期と、そうでない時期とに分かれていた。なんでだろう――。窓の外の景色を見ながら考えに耽る。

ふと思い立ち、気に入っている作品の製作時期をチェックしてみた。雑誌は月号でわかるし、パンフレットは欄外に小さく発行日が記されている。

これを描いたとき、自分は何をしていたんだっけ。一昨年の夏といえば……。そうだ。栄一がリース会社を辞めて出前代行業を始めたときだ。相談もなく突っ走る栄一に、一人で気を揉んでいた覚えがある。

もう一枚、毛筆に初めてチャレンジした作品を見てみた。三年前の秋といえば……。そうだ。栄一がアパレル会社を辞めて同窓会幹事代行業を始めると言い出した時期だ。

春代はファイルを広げたまま眉をひそめた。これは……。いや、単なる偶然だろう。

ほかの作品もチェックした。しかし記憶をたどるごとに、出てくるのは栄一のことばかりだった。いい作品を描いているときは、決まって栄一が会社を辞めて事業を始めた時期と一致するのだ。

なんなのだ、この奇妙な符合は。栄一の起業が自分にいい作品を描かせているとでもいうのだろうか。あの猪突猛進《ちょとつもうしん》の亭主が——。

適当な感想が浮かんでこなかった。春代は作品ファイルを見ながら一時間以上も呆然《ぼうぜん》としていた。

3

いよいよ栄一の店が開店した。春代は家でじっとしていられなくて手伝いに行った。既存のマンションや公団には開店セールのチラシを配布していた。春代が作った手書きのチラシだ。栄一が塚本に作らせたものはアングラ劇団のアジびらのようで、見るに見かねて春代が手を貸したのだ。

「お客さん、来るといいね」毎度のことながらどきどきした。成功すればマンションと子作りだ。いつの間にか春代まで夢を見ている。

「来るんじゃゃない？」栄一は呑気だ。

「来ますよ。財布握ってわんさか来ますよ。わはははは」

沼田が大口を開けて笑う。春代はどうしてもこの下品な男が好きになれなかった。店の金を持ち逃げされやしないかと、そんな縁起でもないことまで考えている。

最初の客はこのビルのオーナーだった。つまり大家だ。温厚そうな老夫婦が「がんばってね」と励ましてくれ、玄関マットを買っていった。どうやら栄一は気に入られているらしい。だいいち前の会社の社長から花輪が届いていた。人望だけはメジャーリーグ級なのだ。

しかしそれ以降は、まったく客が来なかった。通りを歩くのはサラリーマンかOLばかりである。そもそも住宅街も商店街もないのが品川駅前だ。

春代は通りに出て、店を眺めてみた。ディスプレイは悪くない。表にはセール品のカーペットが立てかけられ、賑わいはある。ただし店員が多過ぎる。一人客は入りづらいだろう。栄一が隣にやってきた。

「呼び込みでもするの？」

「馬鹿言ってるんじゃないの。それより店員が景色を壊してる。客がいないときは奥の事務室に待機させた方がいいと思う」

「わかった。じゃあそうする」

「ところで、どうして二人も雇ったわけ？」

「だってカーペットの配達なんかは二人じゃないとできないし、その最中も店番は必要だし」

「だったら、配達のときだけ学生バイトを都合つければいいことじゃない」非難する口調で言った。

「そうか。そうだったね」

頭が痛くなってきた。まずは沼田に辞めてもらわなければ。できれば塚本もチェンジしたい。

「あのね。気立てのいい若い女の子を見えるところに配置して、あなたは奥で雑務をしながら待つ。お客さんが来たら、あなたが出ていって商品を勧める。このやり方じゃないとだめ」

「じゃあ塚本さんをレジに置くわけだね」

気立てがよければね——。そう言いたいのを堪《こら》え、吐息を漏らした。浮気の心配をしなくて済むのは助かるが、栄一は女に対して博愛の精神が過ぎる。

自分の仕事があるのに、一日店で世話を焼いてしまった。来た客は、少し離れた場所にある公団の主婦グループが数組で、バーゲン品だけを買っていった。初日の売り上げは五万円にも満たなかった。ますます不安が募る。

唯一感心したのは、栄一の好かれっぷりだった。主婦たちは賑やかに品定めをしながら、すぐに栄一と打ち解けた。春代は、栄一が営業マンとして重宝がられる理由がわかった。人に警戒心を抱かせないのだ。

「来週になれば、運河沿いのタワーマンションの入居が始まるから、そこが最初の勝負どころだね。五百戸の引っ越しだから、そのうちの一割が来てくれればそれだけで大繁盛だよ」

栄一はあくまでも前向きだった。

「そうそう。さっさと稼いで逃げましょう。わはは」

沼田が胸をそらせて笑う。無口な塚本は黙って注文書を捌《さば》いていた。

家に帰ってイラストの仕事に取りかかると、次々とアイデアが浮かび、依頼された五点のカットをわずか二時間で仕上げることができた。波立っていた湖面が鏡のように鎮まり、そこに何かが映し出される、そんな感じなのだ。しかもすべて出来がいい。筆に迷いがないことが自分でもわかり、イラスト全体が勢いにあふれていた。

うーん、またまた編集部で話題になるかも——。機嫌がよくなり、思わずハミングする。春代は弾む気持ちを抑えられなかった。

「なんか、うれしそうじゃん」栄一が仕事部屋をのぞきにきた。「鼻歌なんか唄っちゃってさ」

「ねえねえ、このイラスト、どう?」

「君が描いたの?」

「わたしじゃなきゃ誰が描くのよ」

「背後霊とかさ」

「もう少し気の利《き》いたこと言えば？」

軽蔑《けいべつ》の目で答えつつ、栄一の軽口にふと考え込んだ。背後霊はともかく、何かが降りてくる感じはある。自分の胸にしまっておくのももったいないので、栄一にここ最近の仕事の好調ぶりについて話してみた。作品のインスピレーションが自然と湧いてくること、過去の例を調べてみると、それが栄一が事業を始めた時期と奇妙に一致していること。

「きっと夫婦だからシンクロしてるんだよ。夫のベンチャースピリットに刺激されて、眠っていた才能が目を覚ますんじゃないかな」

栄一がしたり顔で言った。まるで感謝しなさいと言わんばかりの態度だ。

「ちがうと思う。夫が仕事でコケても一人で生きていけるように、きっと神様が配慮してくれてるのよ」

春代が言い返すと、栄一は松本清張のように下唇をむき、部屋を出て行った。

口からでまかせに言ったことだが、春代は案外当たっているのではないかと思った。我が家の危険度を本能が感知し、補おうとしているのだ。栄一が事業に失敗したとしても、春代から離婚する気はない。愛しているから、とまでは情熱的でないけれど、いないとかなり淋しいからだ。

ともあれ、満足のゆく作品が描けたときは気分がいい。いつか雑誌のカバーイラストを描くようになったりして——。春代はしばし甘い空想に浸った。

いい仕事をすると、たちまち電話番号が知れ渡るのがマスコミ業界である。春代のところには、目ざとい編集者や制作会社のディレクターからイラストの依頼が来るようになった。中には広告ポスターの仕事まであった。プレゼン用なので本決まりではないが、コンペに勝てば自分の描いたポスターが駅や街角に貼られることになる。

春代はさすがに興奮した。いよいよ自分はブレイクするかもしれない。そしてそれ以上に、仕事にやりがいを感じられるのがうれしかった。これまで脇役だった自分の前に、赤い絨毯《じゅうたん》が用意されているのだ。

家で仕事に専念しようかとも思ったが、昼間はどうしても栄一の商売のことが気になるので、段ボール箱が積まれた店の倉庫でラフ案を練ることにした。

「ねえ、花柄とレースの需要が結構あるんだけど、多目に仕入れた方がいいかなあ」栄一が頻繁に相談に来る。

「たまたまメルヘン主婦の客が重なっただけ。そういう客ってたいしてお金は持ってないから無視していい」

「女は女にシビアだね」

「それより高いのをちゃんと勧めなさいよ。店のテーブルに外国の高級インテリア雑誌を並べて、自由に閲覧できるとか、そういう工夫をすれば」

「なるほど。じゃあ早速、塚本さんに買いに行ってもらおう」

考え事が中断されるので、なかなか仕事ははかどらなかった。

「ところで、運河沿いのタワーマンションはもう入居が始まったんでしょ？　客足の方はどうなのよ」

「それが思ったほどでもないんだよね。変だなあ、全戸のポストにチラシをいれておいたんだけど」

「また悠長な……」春代は顔をしかめた。「じゃあ客がどこでカーテンを買うのか調べなきゃ。ライバルがいるなら対策を立てないとだめでしょう」

「うん、わかった」栄一が叱られた子供のようにうなずく。いっそ自分が店長になろうかと思うほどだ。

そして、栄一が引っ越しの最中の家族をつかまえて直接聞いたところ、恐るべき真実がわかった。家具の大手チェーンがくだんのマンションの販売会社とタイアップして、入居前にカーテンの割引券を配っているというのである。

「どうやらモデルルームの家具一式を提供する代わりに、うちにも商売をさせろってことらしいね。カーテンを買うついでに家具もって話になるだろうし」栄一はポリポリとおでこを掻いて言った。

春代は背筋が寒くなった。開店のために数百万円の投資をしている。利益が出なければ借金だけが残るのだ。

「みんな考えることは同じなんだね。デパートも購入者にＤＭ攻勢をかけているらしいし」

「あなたねえ、他人事みたいに言ってないで対抗策を練りなさいよ」つい声が大きくなった。

「もちろん考えたけどね」

「なによ。言ってごらんなさいよ」

「ふっふっふっ」栄一が不敵に笑った。胸をそらし、腕組みしている。「聞きたい？」

「もったいつけてるんじゃないの」春代は消しゴムを投げつけてしまった。

栄一が披露したプランは、あらかじめ新築マンションの窓枠のサイズを採寸して、それにぴったり合ったカーテンを事前に作ってしまうというものだった。最近のマンションの窓は、どれも特殊なサイズなので既製品が合わなくなっている。だから注文して一週間以上待たされるのが普通になっている。その間は、カーテンのない日々だ。

「カーテンっていうのは、引っ越したらその日に欲しいものじゃない。だから、おたくのマンションの窓に合うカーテンが当店にはありますよっていうセールスをかけるわけ」

栄一は自信満々だった。あろうことか、すでに引っ越し中の家庭に押しかけて、窓枠の採寸をさせてもらっているという。

「あのさあ、それってものすごくリスク高くない？」

「多少はね。でも、あらかじめ作るのは売りやすい遮光性の高いベージュやグレーにしておくし、レースのカーテンなんかは選り好みをしないだろうし……」

「でも売れなきゃ終わりなわけだ。オーダーメードだから」

「そこは賭けだよ」

「相変わらず軽く言うね」

春代はいくらでも出てきそうな文句をぐっと呑み込んだ。確かにぴったりサイズのカーテンを作り置きしておけば、急ぎの客にはよろこばれるだろう。しかし気に入られなければ、売れ残ってしまう。見込み注文はあまりにリスクが大きい。

「一応、いちばん戸数の多い間取りの部屋で採寸させてもらったから、大至急五十セットぐらい作っちゃおうか」

「いくらかかるわけ？」

「急ぎ賃も必要だろうから、概算で三百万円。手形を切れば都合はつく」

「どうして新規参入で手形なんか受け付けてくれるのよ。問屋だって現金商売でしょう」

「頼めばなんとかなるよ」

「うーん」

春代は倉庫の天井を見上げて唸った。栄一なら、本当になんとかしてしまいそうだ。この男は、頼みごとだけなら横綱級なのだ。

「じゃあやってみるね。何事もトライだよ」栄一が出て行こうとする。

「ちょっと待った。三十セットにしよう」春代が言った。しょうがない。これくらいのリスクは人生につきものだ。それに現在イラストの仕事は絶好調だ。栄一がだめでも、自分がなんとかできる。そう思い、えいと自分に気合を入れた。

パイプ椅子に深くもたれ、目を閉じる。すると脳裏に、あぶり出しのようにポスターのイメージが湧いてきた。

ワオ。口の中で声を上げた。わたしは、本当は天才なのかもしれない――。

## 4

三日かけて描き上げたイラストを制作会社の人たちに見せると、ポロシャツの襟を立てたいかにも業界人風のディレクターは小躍りしてよろこんだ。

「これ、これ、これですよ。いやあ大山さんに頼んでよかった」

同席したデザイナーも目を見張っている。

「うん。いいね。斬新でいながら独りよがりじゃないんだよね。一般にも受け入れられる親しみやすさがあると思う」

最大級の賛辞と言ってよかった。春代は頬が緩むのを止められない。

「何日かかりましたか？」そう聞かれたので、「一週間です」とうそをついた。多少はありがたみを持たせた方がいい。それでも「速いなあ」と驚かれた。

ギャラはプレゼン段階のため十数万円でしかないが、本採用となれば数倍に跳ね上がると先方が言う。さすが広告業界は金払いがいいと思った。このまま仕事が広がれば、年収一千万円も夢ではない。

そして三日ぶりに店に顔を出すと、カーテンが売れていた。

「うそ」春代は思わず失礼な台詞《せりふ》を口走っていた。栄一のやることには期待しない癖がついているので、まさかうまくいくとは思っていなかったのだ。

「やっぱりカーテンで一週間以上待たされるのは、お客さんも不満なんだろうね。このマンションの窓枠にぴったりのカーテンが当店にはありますよ、っていうチラシを投げ込んだら、効果はてきめんだった」

「ふうん」にわかには信じられなかった。

「思い切って高級品でオーダーしたのがよかったみたい。安物だったら、お客さんも迷ったと思う。買ったばかりのマンションに、粗末なカーテンなんか吊るしたくないんだろうね」

「そう……」

「おまけにレースも馬鹿売れ。とりあえずレースのカーテンだけ買って、外から見られないようにして、厚手のものは別にオーダーしていくお客さんも多かった」

「で、どれくらい売れたわけ？」

「ざっと百セット」

「どうしてそんなにあるのよ。注文したのは三十でしょう」

春代が強い口調で疑問をぶつけると、栄一は「内緒で勝負しちゃった」と悪びれるふうでもなく言った。

全身の力が抜ける。うちの亭主は、大きな賭けに出たという緊張を覚えなかったのだろうか。

倉庫をのぞくと、沼田と塚本が額に汗して働いていた。沼田は気障《きざ》なレイヤードヘアをやめてスポーツ刈りにしていた。反対に塚本は薄い化粧をして女らしくなっていた。あれま、と春代は思った。見くびってごめんなさいと、心の中で謝った。この店は、軌道に乗りつつある――。

それにしても、やはり商売は利益が大きいと思った。これで数百万円の利益が出ているはずだ。こつこつとイラストを描いて得る収入とはわけがちがう。

「この手は使えるよね。家具チェーンやデパートは見込み注文なんてリスクは冒さないだろうから、当店の独壇場《どくだんじょう》だよ」

「うん。そうかも……」

「現在販売中のものはモデルルームがあるから、そこへ行って窓枠の寸法を測ってこようと思ってさ。夫婦の方が自然だから、君も付き合ってよ」

「うん、わかった」

久し振りに栄一の指示に従った。引っ張ってくれる夫を、なんとなく尊敬の目で見てしまう。


メジャーをポケットに忍ばせて、もうすぐ完成という四十階建てマンションのモデルルームに出かけた。二棟あって総戸数が千二百戸というから、都内でも最大級だ。

まずは受付で、アンケート用紙に必要事項を記入する。買いそうな夫婦にでも見えたのか、販売員が揉み手をして近寄ってきた。

春代が適当な受け答えをしている間に、栄一がメジャーで窓枠の寸法を取る。販売員の目の前だったが、とくに怪しまれるようなことはなかった。逆に真剣に物件を探す客と思われたかもしれない。

　モデルルームを見学していたら、本当に欲しくなってきた。ここをアトリエにして、もうひとつは生まれてくる子供の部屋にして……。春代は想像するだけで胸がふくらんだ。３ＬＤＫで七千万円台というのは、今の自分たちには過ぎた物件だけれど、店が成功すれば充分射程範囲内である。現にたちどころに数百万円の利益を上げたのだ。このマンションで二割の客を得られたら、きっと一千万円以上の取り分はあるはずだ。そしてその調子で新築マンションを開拓していけば……。

「ねえ。このマンション、欲しい」栄一の腕を揺すって言った。自分らしくもない、甘えた口調だった。それを聞いた販売員が、目を輝かせてにじり寄ってくる。

　そのとき、栄一が販売員に向かって言った。

「実はぼくら、品川駅前のカーテン屋なんですけどね」

　えっ、何を言い出すのだ？　春代は焦った。たくらみが知られたら、邪魔をされてしまうかもしれない。

「唐突ですいません。少しビジネスの話をさせてもらえませんか。そちらにも損のない話ですから」

　栄一は口元に笑みを湛えていた。童顔だから、さながら新人の飛び込みセールスのようだ。

当然、相手は表情を変えた。客じゃないのかという落胆と、何を言ってくるのかという警戒心が混ざり合っている。

栄一は、自分たちは個人商店で、大手には到底かなわないので見込み注文をしてカーテン販売していることを正直に打ち明けた。別のマンションで実行し、すでに好評を得ていることも話した。

「そこで我々の提案なんですが、マンションというのは必ずしもすぐに全戸完売するものでもないと思うんですよ。残った物件には様々な特典をつけて再販売をおかけになるんでしょうが、どうでしょう、その場合はうちのカーテンを無料で提供しますので、見返りとしてすべてのタイプの部屋の窓枠を採寸させてもらえませんかね。そして、そのうえで、当店のチラシを売買契約時にお客様にお渡ししていただくというお取引を……」

「はあ……」販売員は、いきなりのことに戸惑っている様子だった。

「すでに業者が入っていればあきらめますが……」

「いえ、そういうことはないと思います。ただ、ちょっと、わたくしの立場では返事ができないものですから……」

「もちろん、社内でご相談ください。明日にでも文書で申し込みます。御社はチラシを渡すだけで、カーテンを勧めるわけではありませんから、商品に関して一切責任を負うことはありません。そちらに損はまったくないと思います」

「はあ……そうですね」

「前例がないこととは思いますが、我々個人商店はそうでもしないと生き残れないものですから、何卒よろしくご検討ください」

栄一が深々と頭を下げる。あわてて春代も倣《なら》った。先方もつられてお辞儀する。

ああ、そうなのか。単刀直入とは、こういうことなのか。我が夫は、こうして相手の懐に飛び込んできたのだ――。春代はあらためて栄一という人間を思い知った。

「じゃあ、失礼しようか」

「あ、はい」従順な妻のような返事をしてしまう。

もう一度頭を下げてモデルルームを出た。栄一のあとをついて歩く。夫の背中が頼もしく見えた。こんな気持ちは、結婚して初めてだった。


日が明けて、栄一の申し入れはいとも簡単に認められた。マンション販売会社の人間がわざわざ店を見に来て、オーケーを出してくれたのだ。簡単な覚書のようなものまで交わした。売れ残りが数十戸になるようだと店の損失が大きいので、双方で上限を取り決めた。先方の営業責任者はすっかり打ち解けた様子で、「この商売が終わったらうちに来ませんか？」と軽口をたたいていた。栄一は、やはり根っからの営業マンなのだ。

そしてその翌日、春代のポスターは、コンペで落ちた。

「出来レースだったみたいですね。大方裏でリベートでももらってるんじゃないかなあ。つまんないポスターが選ばれて、みんな呆れ返ってますよ。もうこの業界、馬鹿ばっかり」

電話口でディレクターが盛大に愚痴をこぼしていた。

「はあ、そうですか」

すれたものの言い方に同調したくないので、曖昧に返事をしてかわした。「何かあったらまたお願いします」と言われたが、あてにするまいと自分に言い聞かせた。なんとなく、熱が冷めたのだ。

とがっていたものが、しんなりと折れていく感じがした。ハリネズミが針を寝かせるような。あるいは角のあったチーズが溶けていくような――。気持ち全体が、丸みを帯びている。

不思議なことに、あまりくやしくなかった。あんなに一所懸命描いたイラストなのに。まあいいか、と鷹揚《おうよう》に構えている。

興味がよそに移った。今夜の献立は何にしよう、というようなことだ。栄一が疲れて帰ってくるから、おいしいものを食べさせてあげたい。冷蔵庫に豚肉があるから、酢豚にでもしようか。卵スープを作って、ワカメサラダを添えて……。

その前に、ケント紙に向かった。一応仕事もあるからだ。

雑誌のカットを描こうと試みる。

二十分ほど目を閉じていたが、何も降りては来なかった。

あーあ、終わったか。一人苦笑していた。次はいつ来てくれるだろう。

店の栄一に電話を入れた。「今夜、酢豚でいい？」

「うん、いいよ。ピーマン抜きでね」いつもの、のんびりした声だった。

「子供みたいなこと言わないの。じゃあパプリカにしてあげる」

「パプリカって何だっけ」

「そういう野菜。ねえ、お店、繁盛してる？」

「してる、してる。注文殺到。それにね、今日も別のモデルルームに行って話をしたら、前向きに検討してくれるって」

「あなた、カーテン屋が天職なんじゃない？」

「まさか。一回り売れたら予定通り店はたたむよ」

「たたんで何をするの？」

「別のこと」

ま、いいか。そのときは自分に何かが降りてくることを思えば——。

「寄り道しないで帰ってね」

「うん、わかった」

電話を切る。しあわせな気持ちが込み上げてきた。

春代は立ち上がるとキッチンへと向かった。

# 妻と玄米御飯

# 1

毎日の食事が玄米御飯になった。妻が〝ロハス〟というものにはまったせいだ。

四十二歳の大塚康夫《やすお》は小説家で、自宅に書斎を構えていた。だから食事の大半は妻の里美《さとみ》が用意するものを食べていた。豚肉のしょうが焼きとか、鶏の唐揚げとか、ハンバーグとか。主に育ち盛りの息子二人がリクエストしたものを、それまでの妻は、聖母マリアのようにやさしく受け入れ、キッチンで手早く作っていた。

ちなみに、鶏の唐揚げとハンバーグは冷凍食品だった。里美は駅前の学習塾でパートの事務をしていて、家事にかけられる時間には限りがあったのだ。康夫に異存はなかった。子供たちも、食べ物で贅沢を言ったことは一度としてない。

それが今年になって、様相は一変した。康夫が名のある文学賞を獲り、初めてのベストセラーを出したのである。同時に既刊の文庫も売れまくり、信じられない金額が銀行口座に振り込まれるようになった。それは「一発大逆転」とでも言えるような、ひっくり返り方だった。

最初は恐る恐る金を引き出して、ハワイ旅行に行くとか、銀座ですき焼きを食べるとか、親子四人で小さな贅沢を味わっていたが、預金残高が家一軒を買える金額を超えたあたりで、妻から先に気が大きくなった。

「おとうさん、仕事辞めていい？」

「もちろん」

里美は、手始めに家のローンを清算し、資産運用の指南本を買い込み、投資信託を始めた。続いて消費に意識的になった。選択肢が増えたせいか、買い物にいちいち理屈を求めるのである。

最初、妻の琴線に触れたのは、オーガニックコットンというものであった。従来のコットンの栽培、紡績、加工には多くの化学薬剤が使われていて、地球にはよくないらしい。無農薬有機栽培綿で作られた製品を使えば、それがすなわち環境保護に役立つとのことだ。

「ほら、このタオル、柔軟剤を使わなくてもこんなに柔らか」と里美。よくわからなかったが、康夫は夫婦のマナーとしてうなずいた。康夫の、「いくらしたの？」という問いには、「とってもリーズナブル」という答えしか返ってこなかった。

そして、タオルを買い揃えたナチュラルショップに出入りするうちに、客同士のつながりからヨガ教室に通うことになり、そこからなぜか無農薬野菜の共同購入に発展し、夫婦の会話中、「ロハス」という単語がやたらと出るうちに、真打ち登場という感じで食卓に玄米御飯が現れたのである。

ロハスとは、「健康と地球の持続可能性を志向するライフスタイル」のことで、アメリカで九〇年代後半に生まれたコンセプトらしい。

康夫は鼻から息を漏らし、やけにボソボソした玄米御飯を頰張った。籾殻《もみがら》が残っていて、色も芳しくない。子供たちは不満をあらわにし、白い御飯を要求した。

「よく嚙んで食べるの。ほら、だんだん甘みが出て穀物のおいしさを感じるでしょ？　皮をむかないで、食材全体の栄養素を丸ごといただくの。それがロハス。恵介《けいすけ》と洋介《ようすけ》は皮をむかれたいですか？」

母親から無茶な質問をされ、小学五年生の双子の兄弟は、不服そうに口をすぼめていた。

康夫は渋々ながらも受け入れた。長年の不摂生で、腰回りには余分な肉がついていた。定期健診では内臓脂肪の過多を指摘された。これを機に少しはダイエットをしたい。妻の消費行動にしても、シャネルやエルメスに走られるよりは遥かにましだ。

初めて食べた玄米御飯は、芯が残っているのかやけに硬かった。ぬかの臭いもあった。里美の方から「うまくいかないなあ」と言い出したので、「初めてにしては上出来だよ」

と慰めを言った。

一膳でおなかがふくれた。きっと一口で二十回も嚙んだせいだ。

朝は六時に起きた。半年前から犬を飼い始めていて、朝の散歩を康夫がしなければならないからだ。犬を飼うことは子供たちも大賛成で、康夫も異存はなかったが、「柴犬がいい」という意見は里美に却下され、ふわふわのゴールデンレトリーバーが家族の一員となった。名前は「フレディ」。クイーンのヴォーカルに似ていると、妻がつけた。

洋犬というのは、どこか良家の子女の趣があった。サンダル履きにジャージ姿で連れていると、こちらが下僕に見えてしまう。仕方なく、朝からスラックスにカーディガン、アディダスのテニスシューズという出で立ちである。

里美に言いつけられたコースには、広い河川敷があり、行くと地域の犬仲間が集まっていた。河川沿いの工場跡地に、新駅と大規模な住宅団地ができたため、三十代、四十代のファミリー層が一気に増えていた。ここにいるのは大半が新住民たちだ。団地は、緑地を設けてゆったりと造られていて、値段も高めだった。だから住民は平均以上の所得層だ。それを見込んでクイーンズ伊勢丹も進出してきた。

「大塚さん、おはようございます」佐野という同年代の夫婦に声をかけられた。

「おはようございます」康夫が愛想よく会釈する。

佐野夫妻は、亭主が広告会社を経営していて、優子《ゆうこ》という美貌の夫人は、元モデルの専業主婦だ。中一と小五の子供がいて、要するに似たもの一家である。犬は同じ種類だ。そもそも里美にペットショップを紹介したのは優子夫人で、さらにはヨガ教室も、無農薬野菜も、優子夫人に誘われて始めたものだ。つまり、ロハスの先輩なのである。

「里美さん、今日のヨガ教室には出席なさるのかしら」と優子夫人。

「ええ。行くと思いますよ」

「原宿のスクールから、呼吸法の先生がわざわざ来てくださるんですよ」

「はあ、そうですか」

「大塚さん、時間が自由になるんだから、一緒に参加なさればいいのに」目を細め、涼やかに微笑む。

「いや、ぼくはやめときますよ。足手まといになるし」康夫は軽く笑って、頭を掻いた。

優子夫人は美人でフレンドリーなのだが、康夫はどこか苦手だった。澄んだ目の奥のゆるぎない自信のようなものに、腰が引けてしまうのである。

「優子。売れっ子作家をつかまえて、〝時間が自由〟なんて気安く言っちゃいけないだろう。ねえ、大塚さん。それより、企業セミナーに出ませんか。ぼくが提唱している〝ビジネス・ロハス〟について、一時間ほどしゃべるだけでいいんです。オーケーならすぐにでも資料を用意しますし、段取りをつけます」

亭主の佐野が顎を撫でて言った。ポロシャツの襟を気障《きざ》に立てている。

「いやいや。こっちは小説だけで手一杯で……」

康夫は腰を低くして、手を左右に振った。佐野という男も、いかにもインテリ然として苦手である。顔の髭《ひげ》は、無精髭に見せておいて、いつも同じ長さだ。最近、アウディからトヨタのハイブリッドカーに買い替え、ことあるごとにその意義を説いてくる。

康夫には若い頃から天邪鬼《あまのじやく》なところがあった。社交が嫌いで、建前を好まない。流行は大抵疑ってかかる。作家になったのも、会社勤めが神経症になるほど辛くなり、一人でやれる仕事はないものかとたどり着いた末である。強固な主義主張はないが、好き嫌いははっきりしていた。愛するものは、おとぼけとユーモアで、近寄りたくないのは、ナルシシズムと冗談が通じない人たちだ。佐野夫妻には、全体に女性誌的な〝おしゃれ感〟が漂っていた。それが康夫には〝かゆい〟のである。

「あ、そうだ。ニューヨークに行った知り合いが、マジックソープを一ケース買ってきたの。里美さん、ご入用《いりよう》なら取っといてもらうけど」と優子夫人。

「マジックソープ？」

「有名なエコ洗剤。キッチンの洗い物から、洗顔から、犬のシャンプーまで何にでも使えるの。石油系の物質を使ってないから、地球にも肌にもやさしいの」

「わかりました。聞いておきます」

「生活排水をどうするかって、とっても大事なことなんですよ。昔は汚れた水は川や海の微生物が浄化してくれたけど、今は化学物質が自然の浄化作用を上回ってるんです」

「ええ、そうでしょうね」

「あのね、食器はつけ置き洗いをするといいですよ」佐野も口をはさんだ。「水道を流しっぱなしにするより、水の量は八割減。大塚さん、家事はちゃんと手伝ってます？」

この亭主はやたらとフェミニストぶるのも特徴だ。

「やってますよ。風呂掃除はぼくの担当です」

手伝うのは週末だけだが、見栄でそんなことを言った。

「そうそう。お風呂といえば、いい入浴剤があるんですよ。アロマ効果があって、しかもお湯を浄化して……」また優子夫人が話し始める。

康夫は腕時計に目をやった。「おっと、そろそろ帰らないと」

能書きが続きそうなので、河川敷に放していたフレディを呼び寄せ、退散することにした。エコロジーの話は、嫌いでも正しいから困る。

フレディは勢いよく走ってくると、直前で立ち止まり、遠回りをして康夫の背中に隠れた。犬は飼い主に似るとはよく言ったもので、洋犬でも、康夫の人見知りする性格を受け継いでいるようだ。

「じゃあ、失礼します」挨拶して飼い主たちの輪から離れた。ここに集まる大半は洋犬だ。多くの犬が家の中で飼われていると知って康夫は驚いた。溺愛されているのだろう。大塚家では、〝犬は犬小屋〟を康夫の方針で貫いている。

「おまえ、ほかの犬と仲良くやってるか？」歩きながらフレディに向かってつぶやく。フレディは振り向くと、顔をしかめるように歯茎をむき、また前を向いた。わからんやつめ。

走りたそうに見えたので、ジョギングの速度で駆けた。冷たい秋の空気が胸に心地よい。フレディが家に来たおかげで、早起きがすっかり板についた。

家に戻り、まずは里美が作った野菜ジュースを飲んだ。ニンジン、リンゴ、セロリにレモンをジューサーにかけ、蜂蜜をたらしたものだ。恵介と洋介も起きてきて、一緒に並んで飲んだ。二人は鼻をつまんでいる。

「ちゃんと飲みなさい」里美が行儀を注意した。

「だっておいしくないもん」「セロリはいらない」口々に言う。

「野菜を摂らないと、背が高くなりませんからね」

「おれチビでいいもん」「おれも。背が高いとキーパーやらされるもん」

小学五年生ともなると、すっかり生意気である。

朝食は、玄米御飯にウォーターソテーのきんぴら、野菜の水なし炊き、ワカメの豆腐ドレッシングという品揃えであった。料理は総じて薄味だが、そのぶん、野菜の味がよくわかり、かぼちゃなどはこんなに甘かったのかと意表を衝かれるくらいだ。おまけに、食卓のロハス化以降、通じがよくなった。オナラもプッといい音がする。

里美は背筋を伸ばし、モデルのような姿勢で玄米御飯をかんでいた。なにやら、心の中で「きれいになれ、きれいになれ」と念仏でも唱えていそうな集中振りである。

もちろん、子供たちは歓迎していない。これまではハムエッグを御飯に載せ、醬油をたらしてふりかけを投入し、ぐちゃぐちゃにかき混ぜて食べるのが彼らの朝食だった。各種添加物の入ったふりかけは、当然のようにテーブルから追放された。「自家製ふりかけを作るから待ってなさい」と、里美は焼いた魚の骨を砕いて溜めている最中だ。

「ねえ、御飯に卵かけていい？」と恵介。

「だめ。だって今日の給食、春雨入りオムレツでしょ？　卵ばかりになっちゃうじゃない。おかあさん、ちゃんとバランスを考えて献立を決めてるんだから」

「ちぇっ」鼻に皺を寄せると、佃煮の海苔を載せて玄米御飯をかき込んでいた。

「ねえ、おかあさん。ロハスもいいけど、子供たちは免除したら？　カロリーが必要な時期だし、脂肪分だってすぐに分解するだろうし」康夫が食べながら言った。

「だめ。子供の頃からの蓄積が体質を作るの。健康って一朝《いっちょう》一夕《いっせき》では手に入らないものなんだから」

「そうだけど、神経質過ぎるのもどうかなあ。人間には抵抗力があるし。だいいち、おれたち、チクロ食べて平気だったじゃん」

「ううん。すんでのところで助かったのよ。あのまま摂取させられてたら、わたしたち死んでたと思う」

「そんな大袈裟な……」

呆れるように言い、息子たちを見る。おとうさん頑張れ、と顔に書いてあった。

「ところで、今夜はトンカツにしない？　なんか、肉を食べたい気分だなあ」康夫が提案した。

「肉ならチキン。蒸し鶏にしようか。それか、もち米を詰めてスープにしてもいいし」と里美。

「いや、おれはね、カラッと揚がったトンカツに、ソースをいっぱいかけて……」

「そういうの、我が家はもう卒業しました」

「卒業って……」

「佐野さん家《ち》ね、穀物中心の食生活にしてから、一家四人、もう三年間風邪をひいてないんだって。わたし賭けてもいいけど、今年の冬は、恵介も洋介も風邪をひかないと思う」

里美が自信たっぷりに言う。康夫の要求はぴしゃりと撥《は》ねつけられた形となった。

子供たちが顔を見合わせた。恵介が「ゴホン、ゴホン」と芝居で咳をする。洋介も真似をした。兄弟で「ゴホン、ゴホン」と繰り返す。無言の連帯を感じ、康夫も加わった。

「ゴホン、ゴホン」父子三人で里美に向かって咳をする。

「もう、おとうさんまで。何してるのよ」

「ああ、脂身のついたトンカツを頬張りたい」

「ソースをかけたトンカツをかじりたい」

「ねえ、おかあさん。キャベツも食べるから、お願い」

「トンカツ、トンカツ」父子三人で合唱した。

里美は哀れむような目でため息をつくと、「じゃあ作ってあげます。ただし、同量の野菜も食べること」と折れた。

「やったー」息子たちとハイタッチをする。

久し振りのトンカツかと思ったら、大人の康夫まで童心に帰ってしまった。どうせなら白い御飯も食べたいものだ。

朝食後は、一階の客間をリフォームして造った書斎に入った。以前は近所に仕事場を借りようかとも思ったが、里美の「もったいない」のひとことで、どうせ客など来ない四畳半の和室が板の間に変わり、本棚に囲まれたコックピットのような書斎が出来上がった。もっとも裕福になった今は、再び仕事場を独立させることを考えている。康夫の希望は都心の高層マンションだ。電車で通うのは面倒でも、オンとオフを分けたい気持ちが強い。東京の夜景が一望できる仕事場で、いつかホニャララな出来事があるのではないかという男子の願望もある。

ただし、里美は新たな家の建築を企んでいるようだ。住宅雑誌をたくさん買い込んで研究に余念がない。もちろんロハスは最優先課題で、目指すは化学物質を使わない自然住宅らしい。今のところ康夫は静観の構えだ。

パソコンを起動させ、コーヒーを飲み、一息ついたのち執筆を始めた。書いているのは主にユーモア小説だ。つい昨年までは、「日本でユーモアは売れない」「ミステリーに転向したらどうか」と編集者に冷たくされていたが、賞を獲って売れ出した途端、周囲がてのひらを返し、注文が殺到した。世間とはこんなものだ。

会社員時代は、単独行動好きの偏屈者と言われてきた。それが今では役に立っている。ユーモア小説は醒めた視線がないと書けない。リアリストでないと、人の滑稽《こっけい》さはわからない。もっとも、文学的素養があるわけではないので、執筆にはいつも苦労する。締め切りが近づいてもアイデアが浮かばないときは、大袈裟ではなく失踪したくなる。

庭から木槌《きづち》で石を叩く音が聞こえてきた。里美がカーポートのコンクリートをはがし、地面を石畳に直しているのである。隙間から草を生やすのが目的で、少しでも家を緑化したいらしい。

「売るとき有利になると思う。こういう意識って、絶対に買い手にも伝わるんだから」というのが里美の言い分だ。

ただでさえ周辺の土地は値上がりしている。里美にしてみれば、やっと巡ってきたしあわせな日々なのかもしれない。

「お金の心配をしなくて済むって、こんなにいいことだとは思わなかった」と、いつか里美がしみじみと言っていた。口には出さなくても、夫が会社を辞めたのは、相当なプレッシャーになっていたのだろう。賞を獲ったとき、「これからはらくをさせてあげるからね」と何気なく言ったら、里美は一瞬黙ったのち、突然わんわんと泣き出した。康夫はどうしていいかわからず、おろおろしているうちに涙が伝染し、もらい泣きしてしまった。

康夫は耳栓をしてキーを打った。朝型の生活になって、否応なく午前中から仕事をするようになった。

## 2

里美のロハス仲間が我が家に集まった。全員が主婦で、佐野優子も交ざっている。海で拾ってきた流木を使って電気スタンドや一輪挿しを作り、それをナチュラルショップで販売するとのことだ。

時間をもてあました主婦のクラフト趣味かと思ったら、それが顔に出たらしく、里美から延々と流木利用の意義を聞かされた。木を伐《き》らずに木材が使えるということは、すなわち森林保護につながり、地球温暖化防止に役立つのだそうだ。

康夫は書斎で、聞こえてくる女たちの会話にぼんやり耳を傾けていた。来週が締め切りなのに、一枚も書けていない。椅子にもたれかかり、机に足を乗せ、鼻毛を抜く。コーヒーでも飲もうと思い立ち、キッチンへ行った。

ダイニングにいた女たちが一斉に振り向く。挨拶を交わし、里美に「ついでにみなさんの分もいれようか」と言ったら、「わたしたちはハーブティーにして」と注文を出され、自分もそれを飲むことにした。

「ご主人も一緒にどうぞ」と勧められて、テーブルに加わった。賞の冠がついた作家になり、急に近所の主婦からもてるようになった。里美が棚から茶菓子を出し、みんなで

〝完全無農薬栽培米使用の有機無添加おかき〟というのを食べた。

「ねえ、大塚さん。どうしたら作家になれるんですか」

主婦の一人に羨望の眼差しで聞かれた。毎度の質問である。会話から察するに、彼女たちは康夫の小説を読んでいない。読まなくても、なりたいのが作家である。

「切羽詰まるとなれますよ。ぼくがそうですから」

康夫は笑って答えた。実際、家族と家のローンを抱えて、どうしても会社を辞めたいとなれば、人は死に物狂いで頑張るものである。

「まあ、謙遜。やっぱり能ある鷹は爪を隠すんですね」

優子夫人が言った。白い歯がまぶしいほど輝き、彼女のいる場所だけライトが当たっているかのようだ。小顔で首は細く、すっと伸ばした手が人より長い。さすがは元モデルで、四十でも美人は絵になる。

「ところで大塚さん、ヨガを始める気になりました？　作家は運動不足になりがちでしょう。先生にも紹介したいわ」

「だめだめ。この人、会社員時代からゴルフもしないものぐさだから」

里美が手を振り、小馬鹿にするように言った。

「でも、ゴルフをしないのはいいことじゃない。森林を壊して、薬漬けの芝を敷いて、環境破壊の最たるものでしょう。おまけに接待と称して夫を家庭から奪うし。大塚さんがゴルフをしないの、ちゃんとロハスだと思う」

　優子夫人が康夫を見て、にっこりと微笑む。大人なのに、照れてしまう。

　ロハス、か。康夫は心の中で嘲笑した。要するに、優子夫人のような裕福な知的美人が先導するから、女たちはブームについていくのだろう。ふと思い立った。優子夫人は小説のネタになるかもしれない。カッコつけの亭主も併せて、自分ならいくらでも笑いに持っていける気がする。

　いいや。一人かぶりを振った。近所で、そんな恐ろしいことを……。

「大塚さんって、好きなことをして生きてるんだから、基本的には自然体なんですよね」と優子夫人。

　自然体かぁ。康夫はお尻の辺りがかゆくなってきた。

「でもねえ、うちのダンナ、玄米御飯をいやがるのよ」里美が忌々しそうに言う。

「慣れよ。そのうち肌が引き締まって小顔になるから、そうしたら玄米以外は食べる気がしなくなるんだから」

「え、小顔になるの？」主婦たちが色めき立つ。

「そう。なるの。だってうちの夫も玄米に替えてから……」

　なぜかここから白熱の美容談義になった。康夫はさすがに居づらくなり、そそくさと席を立った。

書斎に戻り、再びパソコンに向かう。そろそろ書き始めないと、時間的に厳しいことになる。五十枚の短編だから、自分の場合五日はかかる。

電話が鳴った。編集者からだった。「進んでますか？」と進捗《しんちょく》状況を聞いてきた。

「いや、それがね……」康夫はアイデアが浮かばないことを正直に告げた。

「ま、なんとかなるでしょう。大塚さん、締め切り前にはちゃんと仕上げてくれる人だから。あはは」

お世辞とも軽口ともつかないことを言い、あっさりと切られた。どうもユーモア作家は悩まない存在と思われている気がする。

腕組みをして、目を閉じた。ワンアイデアあればなんとかする自信はあるのだが、それが思いつかないことには一字も書けない。

ロハスと佐野夫妻……。からかい甲斐があるなあ。だいたい気取った連中をおちょくるのが、康夫は子供の頃から大好きなのだ。会社員時代も、その性癖でワイン通の上司に嫌われた。書いたらさぞかし筆が乗ることだろう。

でもだめだ。そんな度胸はない。自分は小市民で、まだ当分はこの地で暮らす身だ。

ため息をついた。一旦パソコンの電源を切る。フレディと散歩にでも出かけようと思った。外の空気を吸えば、気分がリフレッシュできて何かアイデアが浮かぶかもしれない。ただ、散歩で浮かんだ例《ためし》はこれまでないのだが。

晩御飯は、かぶ菜の玄米御飯と、厚揚げの野菜餡《やさいあん》かけと、鰯《いわし》と筍《たけのこ》のハンバーグだった。よくもまあ手の込んだものを毎日作るものだと康夫は感心するのだが、子供たちは爆発寸前である。

「肉かと思った」「騙《だま》された」ふくれっ面で母親に抗議している。

「あなたたちのためを思って作ってるの。魚は頭がよくなるのよ。勉強ができて、スマートになって、小顔になって、クラスの女子にもてたいでしょ」

「おれ、クラスの女子になんかもてなくてもいいもん」

「おれも。どうせブスばっかだもん」

「こら。ブスなんて言葉、使わないの」

「じゃあ、軽くやばい女子」

「もてたいと思わない女子」

康夫は聞いていて、つい吹き出してしまった。

「ねえ、おとうさん。おかあさんのロハスを止めてよ」

二人が、双子らしくハーモニーで訴える。矛先《ほこさき》がこちらに向かった。

「でもな、健康にいいことは事実なんだぞ。おとうさんだって、玄米食になってから体調もいいし、肩こりだって治ったし」

この場ではなだめることにした。体が軽い感じがするのは事実なのである。

「じゃあ、小説の仕事ははかどるようになりましたか」と恵介。

「アイデアが浮かぶようになりましたか」と洋介。

康夫は返事に詰まった。子供は、いつの間にかませたことを言うようになる。

「ほら、おとうさん、スランプなんだ」

「ゆうべだって、お風呂から出たあとも書斎にこもってた」

「肉を食べないからだ」

「ロハスのせいだ」

「いい加減にしなさい。食べたくないなら食べなくても結構です」

里美がとがった声を発した。せっかくの料理をけなされたのだから、気分を害するのはわかる。

「おい。恵介、洋介。おとなしく食べなさい。日曜の夜、焼肉食べに連れてってあげるから」康夫が諫《いさ》めた。

「ほんと？」「やったー」息子たちがガッツポーズをする。

「ちょっと、おとうさん。勝手な約束しないでよ」

「いいじゃないか。週に一回ぐらいなら」

「一昨日《おととい》トンカツを作りました」

「ヒレじゃなあ。やっぱ脂身がないと」

里美は軽蔑の目で三人を見回し、鼻をひとつすすると、雑念を振り払うようにきりりと背筋を伸ばし、玄米御飯を口に運び、宙を見つめて咀嚼《そしやく》した。なにやら妻は信念の人となったようである。

息子たちは顔を見合わせ、鰯と筍のハンバーグをもそもそと食べた。以後は会話の弾まない食卓だった。

その週の土曜日、康夫は午後のヨガ教室に体験入学することになった。朝の犬の散歩で佐野夫妻からしつこく勧められ、短編のアイデアが一向に浮かばないこともあって、書斎で悶々としているよりはましだろうと、つい応じてしまったのである。

「おとうさんもやるの?」里美は迷惑そうだった。

「いいじゃない。邪魔しないから」

「わたし、足が上がらないんだけど、笑ったら承知しないからね」

なんだ、そういうことなのか。

ヨガは空腹時に行うのが原則ということで、夫婦で昼食を抜いた。妻が子供たちに玄米パンの野菜サンドを用意したが、康夫はこっそりお金を渡し、「あとでモスバーガーにでも行って来い」と連帯を示しておいた。二人は特殊任務を帯びた工作員のような顔になり、「おかあさんには絶対に秘密だぞ」と互いに確認し合っていた。

駅前のスポーツジムのダンススタジオが、ヨガ教室の会場だった。生徒の九割は女たちで、男は数人しかいない。景色を壊しては悪いと思い、隅っこに陣取った。

「大塚さん、そんなうしろにいないで」佐野夫妻が手招きする。「いえいえ」と懸命に辞退した。

佐野は肉体に自信があるらしく、タンクトップにスパッツという恰好だ。鍛えているのが傍目《はため》にもわかる。太ってはいないが、経年変化でむっちり体型になった康夫とは大違いである。だから並びたくないのだ。

優子夫人は髪をてっぺんでまとめ、きれいなうなじを出している。あらためて見ると手足が長く、スリムな体をしていた。ウエストはちゃんとくびれ、ヒップは上を向いている。四十代前半でこのスタイルは見事と言っていいのだろう。

里美が憧れる気持ちは充分理解できた。女は、いくつになっても美しさに価値を置かれてしまう。男のように、自分を〝おやじ〟と卑下《ひげ》して開き直ることはできない。

インド人を思わせる鶏のガラのような女インストラクターが出てきて、にこやかに挨拶をした。首筋に血管が浮いている。出来過ぎの釈迦《しゃか》ボクロについ見入ってしまった。

「それじゃあ、始めましょう。初めての方、真似られるポーズだけ真似てください。いつものように、自分の体と対話するように、ゆっくりと、リラックスして……」

まずはマットの上で座禅を組み、背筋を伸ばし、両手を拝むように合わせ、上を向いた。

「首を伸ばして、顎を天に向けて、さあブリージング」

その合図でみなが一斉に深呼吸する。

「息を吸って、吐いて、吸って、吐いて。顔の周りの老廃物を、お肌から一滴一滴絞り出すイメージで……」

頭に血が昇り、軽いめまいを覚えた。天井の照明がゆらゆらと揺れた。これだけのことで顔に汗が滲《にじ》んでくる。三分もその姿勢を続けたら、体中が火照ってきた。

「それでは次、アルダバッタアサーナ」

インストラクターが奇怪な言語を発すると、生徒たちは座ったまま左足だけ前に伸ばし、前屈するポーズに移った。

「はい、息を吐いて。ゆっくりと屈んで。息を吸って、前を見て……」

ここで大きな差が出た。半分の生徒は体が足にくっつかない。「いてててて」康夫は形にすらならなかった。見ると里美も無理で、佐野夫妻は余裕でポーズを決めていた。

その後もいろいろなポーズが続く。その場を動いていないのに、息が切れた。Tシャツが汗でびっしょりになっている。なるほど、これがヨガか。細胞の隅々にまで酸素と血液が行き届いているのが実感としてわかった。新陳代謝がよくなるわけだ。

「はい、それでは次。スマイルメソッド」

初めて聞く言葉に周囲を見回すと、生徒たちが座禅のポーズで笑顔を作った。

「笑顔は顔にある表情筋を動かします。皺とたるみを取って、自律神経を整えます」

康夫も倣う。これは不気味だなあともう一人の自分が思っていた。

「さあ、生き生きと。自分らしく」インストラクターが声を響かせる。

出た。自分らしくかあ。康夫が思うもっとも恥ずかしい言葉である。

正面の鏡に自分の笑顔が映っていた。何をしているのだおれは。編集者たちが見たら、ものぐさ作家がヨガでスマイルと大喜びすることだろう。

ただ、爽快なのも事実だった。こんなに汗をかいたのは久しぶりである。息子たちが一緒に遊びたがらなくなったせいで、土日は寝転がってばかりだった。

六十分のヨガ実践が終了すると、インストラクターの講話があった。

「ヨガの本質は内なる自分を見つめることです。人と比べない、競争しない、他者にやさしく、地球にもやさしく。ヨガのあるライフスタイルとは、自分の心と体がどんな状態にあるかを理解して、コントロールできる生活ということです。みなさん、ヨガで内側からきれいになりましょう。そしてよろこびの感じられる毎日を送りましょう」

これって宗教だよなあ。康夫はあくまでも一歩引いて聞いていた。斜めうしろから里美を見ると、心酔した様子で耳を傾けている。

全員で拍手をして、解散となった。優子夫人が上気した顔で近寄ってきて、「よかったでしょう。どうですか、週に二回のヨガ教室」と言った。

「ええ、そうですね……」康夫は曖昧に笑って返答を避けた。

「半年やってみましょうよ。体の中の毒素が全部出て行くのが自分でもわかるんですよ」

亭主の佐野もやってきた。「大塚さん、ぼくより二つ若いんですよね」知っていて、わざと人前で言う。ロハス主婦たちが、佐野と康夫の体をそれとなく見比べた。

「関節なんかすぐに柔らかくなりますよ。体の変化を感じるっていいものですよ」

「カミさんがなあ。彼女、ぼくが一緒だと恥ずかしがるんですよ」冗談でまぜっ返す。

里美はそれを聞いて、「時間をずらせばいいじゃない」と憎まれ口をたたいた。

ヨガを終えた生徒たちはみな、生まれたてのような、実に晴れやかな表情をしていた。純粋。そんな言葉が浮かぶ。

ヨガ教室のあとは、ロハス仲間と連れ立ってナチュラルショップへ行った。自然素材の商品に囲まれた木の匂いがする店内には、バンダナを頭に巻いた、絵に描いたようなオーガニック系の店主がいた。

「エコボトルが入荷したので、見ていってくださいよ」

エコボトルとは何かと思ったら、雨水を溜めるタンクのことであった。店主によると、日本の豊富な雨量を有効利用することで、自然破壊の元凶であるダム建設を防ぐのが目的なのだそうだ。

康夫は何食わぬ顔でうなずきつつ、心の中で脱力した。ポリバケツ程度の大きさのタンクで、なんという遠大な計画。どこかの独裁国家の政策みたいである。

主婦たちはエコボトルを口々に絶賛し、揃って購入した。里美も康夫に相談することなく財布を取り出した。佐野夫妻はいちばん高いものを買っている。

「雨水は水道水みたいに塩素が入ってないから、植物にもやさしいんですよ」と優子夫人。

「そうそう。園芸用にはこれがいちばん」と亭主の佐野。

二人揃って真っ白な歯を見せつける。

康夫は愛想笑いしながら、自分は絶対にこの輪に入っていけないとあらためて思った。要するに異教徒なのである。


夜、書斎にこもっても、一向に短編のアイデアは浮かんでこなかった。原因はわかっている。ロハスを俎上《そじょう》に載せたくて仕方がないのである。先進国のエコロジーは、衣食足りた人々の免罪符である。環境をダシにして人の上位に立とうとする態度がどうにも臭う。だいいち、どこからも反対されない正義を振りかざすのは、人品《じんぴん》の卑しさなのではないか——。半分は言いがかりとしても、悪口ならいくらでも出てくる。こういうときは早く書けるし、出来もいいのである。

康夫は葛藤《かっとう》した。ああ書きたい。書いて腹の中にあるものをぶちまけてしまいたい。もちろん、ユーモア小説だから裁いたりはしない。フェアネスも忘れない。自分の目から見た、少々滑稽な人々を描写したいだけなのだ。

コーヒーを飲み、パソコンの白い画面に目をやった。もう三日間、一字も書けずにいる。小説は書けないと本当に苦しい。道行くサラリーマンをつかまえて、「貴様にこの苦しみがわかるか」と詰問したくなる。

書いてしまうか。一人つぶやいた。小説とは元来が危険物なのだ。毒にも薬にもならないものは、存在する意味がない。デビューを世話してくれた編集者も言っていた。作家はどこかで蛮勇をふるわなくてはならない、と。

カレンダーを見た。指定された締め切りは月曜日だが、それは無理なので延ばしてもらうとして……。限度は水曜の夜だろう。今日にも書き始めないと、自分の速度では到底間に合わない。

息子二人がパジャマ姿で書斎にやってきた。揃って浮かない顔をしている。

「ねえ、おとうさん。ぼくたち、中学は私立に行くの？」恵介が言った。

「え、知らない。おかあさんが言ったの？」

「うん。そろそろ塾に行ってもらうからねって——」

驚いた。夫婦でそんな話はしたことがなかった。

「おまえたちは、どっちがいいんだ」

「公立がいい。電車で通うのいやだし、試験なんか受けたくない」

「ぼくも。友だちと別れたくないし、サッカー少年団だって辞めたくない」

二人とも成績は上の部類だった。しゃかりきに上を目指さなくても、ごく自然に大学まで進んでくれればいいと思っていた。

「わかった。おかあさんと相談する」肩に手をやり、退室させた。

廊下から居間の方をうかがう。里美は風呂に入っている様子だった。机に戻って頭を掻く。

なんだ、里美のやつ。亭主に無断で。子供の教育は任せると言ったことはあるが、私立受験は大事な問題だ。これも優子夫人の影響だろうか。確か上の女の子は私立中学に通っていた。ロハスなら歩いて行ける公立だろう。矛盾してないか？　結局、女は今だけのイメージで生きている。ご都合主義なのだ。

なにやらむかむかしてきた。お高くとまった連中がますます憎くなった。

書くか、ロハスな人たちを。これなら三日で書ける気がする。面白く書く自信もある。それに近所の主婦たちはどうせ小説誌など読まない……。

そうだ。読まれないのだ。里美だって単行本になるまで、夫の小説を読むことはない。とりあえず書いて、まずいと感じたら、単行本にするときボツにしてもいいし……。

いいや、書いちゃえ。あとは知らん。時間がないのだ。締め切りはすぐ先だ。

平手で自分の頰を張り、気合を入れた。パソコンに向かうとたちまち集中できた。

3

原稿は締め切りを二日過ぎただけで完成した。メールで送ると、読んだ担当編集者がすぐに電話をくれ、「これぞ大塚さんの真骨頂《しんこっちょう》」と大いにうけていた。

「いやあ、ぼくもロハス・ブーム、嫌いだったんですよ。ああいうのって善意のファシズムじゃないですか。自分だけピュア、みたいな顔して、実のところは単なる自分好きでしょう。偽善ですよ、偽善。なあにが〝地球にやさしい〟ですか。だったらてめえの家だけ汲み取り式便所に戻せって言うんですよ。あはは」

全面的に同意を得たようで、ロハスの悪口でしばし盛り上がった。

「だいたい、亭主に玄米食わせる女房なんてろくなもんじゃないですよ。おれなら張り倒しますね」

これにはむっとした。「いや、うちがそうなんだけどね」

「あ、いや、その……そうでしたか。まあ、その、家族の健康を気遣ういい奥さんかなあって思う気持ちも実はあったりして……」

編集者はしどろもどろで言い訳していた。

原稿は翌日にはゲラになった。あらためて読み返しても、傑作の部類に入るユーモア短編だった。環境を考えることはいいに決まっている。それを承知の上で、ブームに踊る人たちをおちょくっているのである。やはり小説には毒がなくてはいけない。

もっとも、同時に不安な気持ちも康夫の胸の中でふくらんだ。作中に出てくる厭味《いやみ》な夫婦というのは、どう見ても佐野夫妻である。知っている人が読めば一発でわかる。どうするべきか。少しぐらいいいことを書き加えておこうか……。いや、腰が引けた文章は、読者にはすぐに伝わる。故ナンシー関を見習え、と自分に言い聞かせた。

二時間ほど逡巡《しゅんじゅん》し、語尾を手直しした程度でゲラをファックスで送り返した。これで後戻りは出来ない。他人様のやることに口をはさみ、お金を得る。まことに因果な商売である。康夫は一人嘆息した。

締め切りをしのいだ解放感で、フレディを連れて散歩に出た。河川敷で夕日を眺めていると、堤防の道を向こうから優子夫人が歩いてきた。心に疚《やま》しさがあるせいで、康夫は思わず草むらに身を隠してしまった。優子夫人は愛犬を従え、背筋を伸ばし、腕を前後に振り、早足でウォーキングをしていた。うしろで束ねた髪がリズミカルに揺れている。

その凛々《りり》しい姿を見ていたら、なんだか自分が薄汚れた人間に思えてきた。おなかの贅肉をつまむ。えもいわれぬ罪悪感に襲われた。

家に帰り書斎に入ると、康夫はもう一度ゲラを読み返した。急に不安になったからだ。腕を組み、考え込む。微妙なところであった。他愛ないユーモア短編ではあるが、ロハスの信奉者は侮辱されたと思うかもしれない。だいたい主人公の作家が、流木のクラフト工芸にいそしむ主婦たちを見て、(薪《まき》にしろ、薪に)と心の中で毒づくのである。気取った夫婦に対するに至っては、(子供は公立にやれよ)と罵っている。

まずいかなあ。主人公の作家も、人のやることにいちいちケチをつける偏屈者として描いているが、自分で言うのと他人に言われるのとは根本的にちがう。自己懐疑のない人は、少しのことで怒り出す。真面目な人ほど「傷ついた」とヒステリーを起こす。

暗い気持ちで椅子にもたれた。ふと横を見る。床に散らかっていた雑誌が隅に積まれていた。ゴミ箱に目を向けると、中の紙くずがなくなっていた。

里美が片付けたのだろう。妻は夫の仕事が一段落したのを見計らって、書斎の整頓をしてくれる。

そういえば、机の上に放っておいたゲラも、四隅がちゃんと揃った状態で置かれていた。もしかして読まれたとか……。

いいや、作家になった当初はともかく、最近は夫の仕事にはほとんど興味を示さない。口出ししなくなった。新刊を上梓《じょうし》したときだけ、儀礼的に「面白かったよ」と言うぐらいだ。

そこへ洋介が顔をのぞかせた。「おとうさん、御飯」

「ああ、わかった」書斎を出て、ダイニングへ行った。

息子たちが食卓につき、恵比須《えびす》顔でいる。見ると、茶碗によそわれたのは白い御飯だった。そして皿には豚肉の生姜《しょうが》焼きが載っている。

視線を里美に移した。里美はやけに静かな口調で、「おとうさんと恵介と洋介は、もう玄米御飯にしなくてもいいわ」と言った。

事の成り行きがわからず、康夫は戸惑った。

「おかあさんは玄米と野菜の食生活を続けるけど、無理に付き合わせることもないしね。これからは献立も別々」

康夫は唾を飲み込んだ。どうも妻は怒っている様子である。少なくとも、いつもの機嫌ではない。ひょっとしてゲラを読まれたのか。お尻のあたりがひんやりした。

「ほら、熱いうちに食べて」

息子たちは母親の様子など意に介さず、「わーい」と声をあげ、肉に箸を伸ばした。

白い御飯と一緒に口いっぱいに頬張り、「やっぱ肉はうめえなあ」と顔をほころばせている。

康夫はどうしていいのかわからず、とりあえず食事を始めた。ええと、何か会話を探さねば。

「これ、柔らかくていい肉だね」

「そりゃあ、おとうさんの収入に合わせて鹿児島産の黒豚にしたんだもん」里美が目を見ないで言う。

ううむ。どういう意味なのか。

「肉もいいけど、味付けもいいんじゃない」

「市販のタレ。添加物たっぷり。でもらくでいいわ」

これで会話は途切れた。しばしの沈黙。仕方なく、恵介と洋介に話を振る。

「おい、キャベツも残さず食べろよ」

「うん、わかった」「おかあさん、マヨネーズかけて食べてもいい?」と息子たち。

「どうぞ。お好きなように。自家製グリーンオイルは、あなたたちには味が薄いみたいだものね」

里美が突き放した言い方をする。里美は、いつもにもまして背筋をきりりと伸ばし、顎をいくぶん天井に向け、玄米御飯を咀嚼していた。それは、もはや家族など相手にしていられないといった、求道者《ぐどうしゃ》の様相だった。

さすがに息子たちも、母親の態度がよそよそしいことに気づき、口数が少なくなった。御飯のおかわりも自分でよそう。気遣いの表れなのか、キャベツもトマトも残さず食べていた。


食事が終わると、康夫は書斎に戻り、またゲラを読んだ。そうせずにはいられなかった。そして、新たなことに気づいた。気取った夫妻やロハスな主婦ばかりに意識が奪われていたが、小説では、主人公の妻のことも相当揶揄《やゆ》しているのである。そもそもタイトルが『妻と玄米御飯』だ。これを見たら、里美も穏やかではいられない。やはり、読まれたのだ。

やばいなあ。康夫は顔をゆがめた。身内の気安さから、遠慮なく書いてしまった。主人公が妻のロハス的生活をからかうくだりなど、（所詮《しょせん》プチブルの〝いいとこどり〟だろう）である。

迂闊《うかつ》だった。これを読んでいちばん最初に頭に来るのは里美だ。おまけに彼女は、ロハス仲間に対しては加害者の妻という立場になってしまう。

だんだん憂鬱になってきた。まったく小説家なんてろくなものではない。ウケを取るためなら、女房までをもカタにする。

やめるか、この原稿。傑作なので惜しい気持ちは強いが、夫婦仲を犠牲にしてまで発表する作品など自分にはない。

二十分迷って、編集者に電話をした。事情を説明して「悪いけど、ボツにしてくれないか」と言った。

「何を言ってるんですか。これ、大傑作ですよ。大塚さんの短編の中でもベストファイブに入るんじゃないですか。ボツだなんて、そんなもったいないことできませんよ」

編集者は驚きの声をあげ、即座に拒絶した。

「いや、そうかもしれないけど……」

「大丈夫ですよ。この作品のユーモアは絶対に万人に伝わりますよ」

「でも、うちの女房が……」

「気のせいでしょう。確かめたんですか？」

「いや、確かめてはいないけど……」

「じゃあ気のせい。とにかく、ボツにはできません。イラストも発注しました。明日から校了が始まります。大塚さんの短編は次号の巻頭を飾ります」

「巻頭？　せめて目立たないように……」

「弱気だなあ、もう。天下のＮ木賞作家が何を言ってるんですか。文士たるもの、もう少し腹をくくってくださいよ」

「いや、まあ、そうだけど……」

「平気、平気。ドーンと構えてください」

電話を切られた。励まされたような、相手にされなかったような……。そもそも自分は気の小ため息をつく。憂鬱な気持ちは一向に治まる気配を見せない。

さい人間なのだ。思ったことをその場でポンポンと言えないから、わざわざ文章に著していいるところがある。そういう性格だから、万事疑い深く、行動に移さない。組織の一員でいられない。

ヨガだって健康にいいに決まっている。あの爽快感は今でも記憶に残っている。それなのに、素直に熱中する人たちをからかいたいばかりに、理屈を探してきては、皮肉を言う。

だんだん自分が嫌いになってきた。人生の楽しみ方を知らない小さな人間に思えてきた。

いつまでも書斎に閉じこもっているわけにもいかないので居間に行った。子供たちの姿はなく、里美が一人でグラビア雑誌を読んでいた。のぞき込むと、エコロジーの専門誌で、家造りの特集号のようだった。

「ふうん、木造りの家っていいもんだね」康夫が話しかける。

「そうね。ここに載ってる家、国産材を使ってるから、東南アジアやアマゾンの森林破壊に加担しなくて済むんだって」

里美がページに目を落としたまま言った。

「それは素晴らしい」

「国産の自然素材と職人の手加工による住宅だから、坪当たりの建築単価が通常の四割増しなのよね」

「え、そうなの。じゃあ、何がいいわけ？」

「損か得かじゃないの。そういう環境を守ろうとする建設会社の理念に共感できるかどうかなの」

「……あ、そう」

それで会話が途切れた。静寂を打破するべくテレビをつけようと、リモコンを手にする。

「あ、元の電源を切ってある。始終スタンバイ状態にしておくなんて、エネルギーの無駄遣いでしょ」と里美。

仕方なく、テレビのところまで行ってスイッチを入れた。大食い選手権をやっていた。里美が視線を向け、軽蔑するように鼻を鳴らし、また雑誌に戻る。ますます空気が重くなった。

「あの、子供たちはともかく、おれ、玄米御飯でもいいよ」康夫が言った。

「どうして？　無理しなくていいのよ」

「無理じゃなくて。おれ、内臓脂肪を減らしたいもん。それに一人分だけ炊くなんて面倒だろう」

「ロハス、嫌いなんじゃないの？」

「え、おれが？」汗が噴き出てきた。

「共感しない人に作るの、いやだから」

里美が立ち上がり、キッチンに行った。明日の朝食の下ごしらえを始めた。

康夫は生唾を飲み込むと、テレビを消し、少し震える足で書斎に向かった。机の電話を取る。編集部にかけた。

「あのな、やっぱりあの原稿ボツにする。これから君の社に行って、新しい短編、徹夜で書くわ。別館の執筆室、用意しておいてくれ」

「何を言ってるんですか。じょ、じょ、冗談でしょう」

編集者は声を裏返し、言葉を詰まらせた。

「必ず間に合わせる。最終校了まで三日だろう。その間に死ぬ気で書き上げる」

「いや、でも、大塚さん。素晴らしい原稿じゃないですか」

「その話はするな」

「するなったって――」

「頼む。夫婦の将来がかかってるんだ。書き換えないと、一生女房に恨まれる」

「考え過ぎなんじゃないですか。ちょっと、編集長に代わりますから」

「うるさい。おれがだめだと言ったらだめだ。あの原稿は使わせない」

康夫はささやき声で怒鳴りつけた。

「一晩考えましょうよ。それで少し冷静になって……」

「この先は時間との勝負だろう。落ちるぞ。白紙で出るぞ。それでいいのか」

「そんな、怒らないでくださいよ」

「とにかくタクシーでそっちに向かう。帰らないで待っててくれ」

電話を切った。すぐさまタクシー会社に連絡を入れ、小型を一台回してくれるよう依頼する。ノートパソコンと電子辞書をバッグに入れた。寝室へ行き、替えのシャツや下着を取り出し、出かける支度をした。

「ねえ、おとうさん。何をしてるの?」里美がやってきて言った。

「おれ、これから集英社でカンヅメになってくる」

「どうしたの? 顔色悪いけど」

「小説すばるの短編がどうしても書けなくてな。間に合いそうにないから、向こうに行って書く。明後日の夜まで帰れないと思う」

里美がしばし黙り込む。何事か考えに耽るような間があって、「そうなの? 散歩に出かけたから、てっきり終わったものだと思ってた」とポーカーフェイスで言った。

「実は終わってないんだ。それどころか一字も書けてないんだ。それなのに、ヨガに行ったり、フレディと遊んだりして。まったくもう、我ながらいやになっちゃうよ」

康夫は髪を掻きむしり、苦しげに訴える。その様子を見て、里美の表情に一瞬かすかな笑みが浮かび上がった。クスリと笑う半歩手前で留まったような。

「……そう、大変ね。わたし、力になりたいけど、あなたの仕事、小説家だから……」

「いや、いつも助けてもらってる。料理だっておいしいし、感謝してる」

「ほんと？　そう言ってくれるとうれしいけど」

「そうさ、いつも感謝してるさ」

康夫が真顔で言うと、里美は、子供の話を聞く母親のように、温かく目を細めた。

「あなた、無理しないでね。夜は冷えるから、風邪をひかないように」

里美が押入れから自分の膝掛けを出し、紙袋に詰めて康夫に手渡した。

「ありがとう」康夫は礼を言った。

家の前にタクシーが到着した。荷物を抱え、あたふたと玄関を飛び出した。テニスシューズの踵《かかと》を踏んだまま、転がり込むように乗車する。里美は門の外まで見送りに出た。

「神田神保町まで」タクシーの運転手に行き先を告げる。窓越しに里美を見ると、今度は、両手で腕を抱え込み、なにやら笑いをこらえるような表情でいた。康夫はこれから始まる難行《なんぎょう》に気が奪われ、うまく頭が回らない。でも、妻の機嫌は悪くなさそうだ。

タクシーが発車した。リアウインドウから妻を見る。街灯の下、里美は白い歯をこぼれさせて手を振っていた。

そこにいるのは、新婚の頃から変わらない、自分の帰りを待っていてくれる妻の姿だった。

# 鑑賞

益田ミリ

拝啓

奥田英朗さま

益田ミリと申します
マンガやエッセイを書いて生計をたてております
今から20年ほど前は大阪で会社員をしていました
22才ごろ

宣伝部に配属となり
今日のおやつ何する〜〜
どーする〜〜
キャピ
キャピ
先パイ
仕事のひとつに、他社の商品広告のスクラップがありました
せっ
せっ
いろんなジャンルの雑誌をチェックするのですが
せっ
せっ
せっ
せっ
チェックするふりで普通に雑誌を読んでました(おいおい)
この服欲しい〜〜〜
ノンノ

男性向けの雑誌も
チェックするのですが
車とか時計の
広告、多いなあ
その中の一冊に
「モノ・マガジン」という
雑誌がありました
モノ・マガジン
男性誌は、サッと
めくる程度だったけど
ケーキとか
出てこないし
つまんない
ふと読んだエッセイに
思わず笑って
しまいました
えーっと
仕事中
……
アハハ
奥田英朗さんに
はじめて出会ったのです
ふふっ
それは
「スポーツ万華鏡」
という連載で
ふふふ
スポーツにまつわる
エッセイでは
あるのですが
ふふ

ヘンテコな切り口の痛快な文章でした
アハハハハ
えーっと仕事中……
現在は『延長戦に入りました』という文庫(幻冬舎)になっていて
延長戦に入りました
久しぶりに読み返せばやっぱり笑わずにはいられません
ハハハ
たとえば
「レスリングのタイツはなぜ乳首をだすのか」
という素朴な疑問が一本のエッセイになっていたり
アハハ
「隠すのか隠さないのかハッキリしてほしい」だって!!
「ボブスレーの前から2番目の選手は何をする人なのか?」
という、これまた「そういえば……」が一本のエッセイに
ハハハ
よく思いつくな〜〜
でも、誰もバカにしていない

なんか
あったかいん
だよな〜〜〜
そして、この本は
エッセイなのに、
小説の風が吹いている
ということに
気づくのです
「箱根駅伝」について
書かれたエッセイには
架空の家族が登場します
それはお正月の
なにげない光景です
お父さんが新聞の
テレビ欄を見つつ言う
まったく
くだらねえ番組
ばっかやって
るなー
仕方なく箱根駅伝を
選んだ父に、
子供たちは言う
ねえ、
これ何?
駅伝
これ誰?
ケニア
からの
留学生
だよ

大変ねー、
エライわねー、
正月から
母
あの人
泣いてるね
抜かれちゃった
もんね
責任感じて
るんだよ
ハイ、お茶
この家族
本当に
いそう〜〜〜
フッ
エッセイの中に散り
ばめられている
いくつもの小さな物語
それは、まるで
ひょいっと、
よそん家《ち》をのぞき見
しているような
ひょい、

この頃のエッセイに
すでに作家奥田英朗がいる
というわけで、再び20年前の会社員のわたし
ふふ
そのエッセイそんなにおもしろいの?
うん
そしてひらめきました
あ
奥田さんという人にお手紙出そう
うん
「いつも読んでます!」などと
カキ
カキ
仕事中にファンレターを書きました(おいおい)
カキ
カキ

ちゃんと
届くかな〜〜〜
連載がずっと
つづきますように
数日後
東京から
ハガキ
来てたで
なんと、奥田さん
ご本人から
お返事が届きました
あっ
わたしはその時、
ふたつのことを
思いました
ひとつはご自宅の住所
まできちんと書かれて
いたので
わたしがストーカー
だったらどうするん
ですか!!
いい人すぎやで〜

もうひとつ思ったこと
いつか
いつかわたしが有名になったらこの話を奥田さんにして、お礼を言おう!!
アンタの根拠のない自信が怖いよ……
20年後のわたし
いただいたお返事には
「新米のコラムニストです今後ともごひいきに」
という言葉とともに
「特技はビールをおいしく飲むことです」
とありました
月日は流れ直木賞作家の奥田英朗さん
その節はありがとうございました
ペコッ
益田ミリ
(有名になってませんが)

本作品は二〇〇七年四月、集英社より刊行されました。

## 集英社文庫　目録（日本文学）


逢坂剛　百舌《もず》の叫ぶ夜
逢坂剛　幻の翼
逢坂剛　砕かれた鍵
逢坂剛　よみがえる百舌《もず》
逢坂剛　しのびよる月
逢坂剛　水中眼鏡《ゴーグル》の女
逢坂剛　さまよえる脳髄
逢坂剛　配達される女
逢坂剛　鵟《のすり》の巣
逢坂剛　恩はあだで返せ
大江健三郎・選　何とも知れない未来に
大江健三郎　「話して考える《シンク・トーク》」と「書いて考える《シンク・ライト》」
大岡昇平　靴の話 大岡昇平戦争小説集
大沢在昌　悪人海岸探偵局
大沢在昌　無病息災エージェント
大沢在昌　ダブル・トラップ
大沢在昌　死角形の遺産
大沢在昌　絶対安全エージェント
大沢在昌　陽のあたるオヤジ
大沢在昌　黄龍の耳
大沢在昌　野獣駆けろ
大島清　「脳を刺激する」80のわたしの習慣
大島裕史　日韓キックオフ伝説 ワールドカップ共催への長き道のり
太田光　パラレルな世紀への跳躍
大竹伸朗　カスバの男 モロッコ旅日記
大槻ケンヂ　のほほんだけじゃダメかしら？
大槻ケンヂ　わたくしだから改
大橋歩　楽しい季節
大橋歩　秋から冬へのおしゃれ手帖
大橋歩　おしゃれのレッスン
大橋歩　くらしのきもち
大橋歩　おいしい おいしい
大橋歩　オードリー・ヘップバーンのおしゃれレッスン
大橋歩　テーブルの上のしあわせ
大前研一　50代からの選択 ビジネスマンは人生の後半にどう備えるべきか
大森淳子　ああ、定年が待ち遠しい
岡崎弘明　学校の怪談
岡嶋二人　ダブルダウン
岡野あつこ　ちょっと待ってその離婚！ 幸せはどっちの側に？
小川洋子　犬のしっぽを撫でながら
荻原浩　オロロ畑でつかまえて
荻原浩　なかよし小鳩組
荻原浩　さよならバースディ
荻原浩　千年樹
奥泉光　バナールな現象
奥泉光　ノヴァーリスの引用
奥泉光　鳥類学者のファンタジア
奥田英朗　東京物語

# 集英社文庫　目録（日本文学）


奥田英朗　真夜中のマーチ
奥田英朗　家日和
奥本大三郎　虫の宇宙誌
奥本大三郎　壊れた壺
奥本大三郎　本を枕に
奥本大三郎　虫の春秋
奥本大三郎　楽しき熱帯
小沢章友　夢魔の森
小沢章友　闇の大納言
小沢一郎　小沢主義《オザワイズム》志を持て、日本人
小澤征良　おわらない夏
落合信彦　男たちのバラード
落合信彦　モサド、その真実
落合信彦　石油戦争
落合信彦　英雄たちのバラード
落合信彦・訳　第四帝国
落合信彦　男たちの伝説
落合信彦　アメリカよ！あめりかよ！
落合信彦　狼たちへの伝言
落合信彦　挑戦者たち
落合信彦　栄光遙かなり
落合信彦　終局への宴
落合信彦　戦士に涙はいらない
落合信彦　狼たちへの伝言2
落合信彦　そしてわが祖国
落合信彦　狼たちへの伝言3
落合信彦　ケネディからの伝言
落合信彦　誇り高き者たちへ
落合信彦　太陽の馬(上)(下)
落合信彦　映画が僕を世界へ翔ばせてくれた
落合信彦　烈炎に舞う
落合信彦　決定版　二〇三九年の真実
落合信彦　翔べ 黄金の翼に乗って
落合信彦　運命の劇場(上)(下)
ハロルド・ロビンス　落合信彦・訳　冒険者たち(上)野性の歌
ハロルド・ロビンス　落合信彦・訳　冒険者たち(下)愛と情熱のはてに
落合信彦　王たちの行進
落合信彦　そして帝国は消えた
落合信彦　騙《だま》し人《にん》
落合信彦　ザ・ラスト・ウォー
落合信彦　どしゃぶりの時代 魂の磨き方
落合信彦　ザ・ファイナル・オプション 騙し人II
落合信彦　虎を鎖でつなげ
落合信彦　名もなき勇者たちよ
乙一　夏と花火と私の死体
乙一　天帝妖狐
乙一　平面いぬ。
乙一　暗黒童話

集英社文庫

家日和《いえびより》

2010年5月25日　第1刷　　定価はカバーに表示してあります。

著　者　奥田英朗《おくだひでお》

発行者　加藤　潤

発行所　株式会社 集英社
東京都千代田区一ツ橋2-5-10　〒101-8050
電話　03-3230-6095（編集）
03-3230-6393（販売）
03-3230-6080（読者係）

印　刷　凸版印刷株式会社

製　本　凸版印刷株式会社

フォーマットデザイン　アリヤマデザインストア　　マークデザイン　居山浩二


ISBN978-4-08-746552-5 C0193